POUR RÉUSSIR

MATH 203
CALCUL DIFFÉRENTIEL ET INTÉGRAL II

Collégial

Lidia Przybylo
Sylwester Przybylo

POUR RÉUSSIR

MATH 203

CALCUL DIFFÉRENTIEL ET INTÉGRAL II

Collégial

L'essentiel de la matière
sous forme de questions et de réponses

TRÉCARRÉ

Données de catalogage avant publication (Canada)
Przybylo, Lidia
  Pour réussir math 203 : calcul différentiel et intégral II
  (Pour réussir)
  Pour les étudiants du niveau collégial.
  ISBN 2-89249-654-3
  1. Calcul différentiel - Problèmes et exercices. 2. Calcul intégral -
Problèmes et exercices. I. Przybylo, Sylwester. II. Titre. III. Titre : Pour
réussir math deux cent trois. IV. Collection.
QA305.P792 1996   515'.33'076   C96-941408-0

Éditions du Trécarré
817, rue McCaffrey
Saint-Laurent (Québec)
H4T 1N3

ISBN 2-89249-654-3

Mise en pages et typographie : Arthur Przybylo
Révision pédagogique : Denis Beausoleil
Schémas et illustrations : Aleksander Przybylo
Couverture : Claude-Marc Bourget

Dépot légal - 1996
Bibliothèque nationale du Québec

TABLE DES MATIÈRES

CHAPITRE

Définition de l'intégrale

PRIMITIVE, INTÉGRALE INDÉFINIE

- **PRIMITIVE :** La fonction F est une primitive de la fonction f sur $[a , b]$ si $F'(x) = f(x)$ pour tout $x \in [a , b]$.

- **INTÉGRALE INDÉFINIE :** L'intégrale indéfinie d'une fonction f est l'ensemble de toutes les primitives de f, c'est-à-dire $\int f(x)\, dx = F(x) + C$, où F est une primitive de f et C, une constante réelle.

  La fonction f est appelée l'intégrande et la constante C, la constante d'intégration.

- **FORMULES D'INTÉGRATION**

  1. $\int x^r dx = \dfrac{x^{r+1}}{r+1} + C$, où r est une constante $\neq 1$

  2. $\int \dfrac{1}{x+a}\, dx = \ln|x+a| + C$, où a est une constante réelle

  3. $\int \sin x\, dx = -\cos x + C$

  4. $\int \cos x\, dx = \sin x + C$

  5. $\int \sec^2 x\, dx = \tan x + C$

  6. $\int \csc^2 x\, dx = -\cot x + C$

  7. $\int \sec x \tan x\, dx = \sec x + C$

  8. $\int \csc x \cot x\, dx = -\csc x + C$

  9. $\int e^x dx = e^x + C$

  10. $\int b^x dx = \dfrac{b^x}{\ln b} + C$

  11. $\int \dfrac{dx}{x^2 + a^2}\, dx = \dfrac{1}{a} \arctan \dfrac{x}{a} + C$

- **RÈGLES D'INTÉGRATION**

I $\int c\,f(x)\,dx = c\int f(x)\,dx$ où c est une constante

II $\int [f(x) \pm g(x)]\,dx = \int f(x)\,dx \pm \int g(x)\,dx$

III Intégration par changement de variable :

a) $\int [f(x)]^r f'(x)\,dx = \dfrac{[f(x)]^{r+1}}{r+1} + C$

b) $\int \dfrac{f'(x)}{f(x)}\,dx = \ln|f(x)| + C$

c) (règle générale)

Si $\int f(t)\,dt = F(t) + C$ et $t = g(x)$, alors

$$\int f(g(x))g'(x)\,dx = F(g(x)) + C$$

Exercices

1. **Trouver la fonction f si**

a) $\int f(x)\,dx = \sqrt{3x^2 + 2x + 1} + C$

b) $\int 2^{x^2+3x} f(x)\,dx = \dfrac{2^{x^2+3x}}{\ln 2} + C$

c) $\int e^x f(x)\,dx = e^x(\sin x - \cos x) + C$

SOLUTION

Pour trouver f (l'intégrande), il suffit de dériver F (une primitive).

a) $F'(x) = \left(\sqrt{3x^2 + 2x + 1} \right)'$

$= \dfrac{1}{2\sqrt{3x^2 + 2x + 1}} \left(3x^2 + 2x + 1 \right)' = \dfrac{3x + 1}{\sqrt{3x^2 + 2x + 1}}$

Donc,

$$f(x) = \dfrac{3x + 1}{\sqrt{3x^2 + 2x + 1}} \,.$$

b) $F'(x) = \left(\dfrac{2^{x^2+3x}}{\ln 2}\right)' = \dfrac{1}{\ln 2}\left(2^{x^2+3x}\right)' = \dfrac{1}{\ln 2}\, 2^{x^2+3x}\ln 2 \times \left(x^2+3x\right)'$

$\qquad = 2^{x^2+3x}(2x+3)$

Donc,

$2^{x^2+3x}\, f(x) = 2^{x^2+3x}(2x+3)$

d'où

$f(x) = 2x+3$.

c) $F'(x) = \left[e^x\left(\sin x - \cos x\right)\right]'$

$\qquad = e^x\left(\sin x - \cos x\right) + e^x\left(\cos x + \sin x\right) = 2e^x \sin x$

Donc,

$e^x f(x) = 2e^x \sin x$

d'où

$f(x) = 2\sin x$.

RÉPONSE

a) $f(x) = \dfrac{3x+1}{\sqrt{3x^2+2x+1}}$

b) $f(x) = 2x+3$

c) $f(x) = 2\sin x$

2.   **Évaluer les intégrales ci-dessous. Pour chaque étape, indiquer la formule ou la règle d'intégration appliquée.**

a) $\displaystyle\int \dfrac{1+2x\sqrt{x}}{\sqrt[3]{x}}\, dx$

b) $\displaystyle\int \left(\dfrac{1+\sqrt{x}}{\sqrt[4]{x}}\right)^3 dx$

c) $\displaystyle\int \dfrac{2x^2-3x+1}{x+1}\, dx$

d) $\displaystyle\int \dfrac{x\, dx}{\sqrt{1+3x^2}}$

$e)$ $\int\left(\cot x + \dfrac{\sin x}{\cos^2 x}\right)dx$

SOLUTION ET RÉPONSE

$a)$ $\int \dfrac{1 + 2x\sqrt{x}}{\sqrt[3]{x}}\,dx = \int\left(\dfrac{1}{\sqrt[3]{x}} + 2\,\dfrac{x\sqrt{x}}{\sqrt[3]{x}}\right)dx = \int\left(x^{-\frac{1}{3}} + 2x^{\frac{7}{6}}\right)dx$

$\qquad = \int x^{-\frac{1}{3}}\,dx + \int 2x^{\frac{7}{6}}\,dx \qquad\qquad$ règle II

$\qquad = \int x^{-\frac{1}{3}}\,dx + 2\int x^{\frac{7}{6}}\,dx \qquad\qquad$ règle I

$\qquad = \dfrac{x^{\frac{2}{3}}}{\frac{2}{3}} + C_1 + 2\,\dfrac{x^{\frac{13}{6}}}{\frac{13}{6}} + C_2 \qquad\qquad$ formule 1

$\qquad = \dfrac{3}{2}\sqrt[3]{x^2} + \dfrac{12}{13}x^2\sqrt[6]{x} + C$

Remarque Puisque C_1 et C_2 sont des constantes arbitraires, il en est de même de $C = C_1 + C_2$.

$b)$ $\int\left(\dfrac{1 + \sqrt{x}}{\sqrt[4]{x}}\right)^3 dx$

Si nous appliquons la formule
$(a + b)^3 = a^3 + 3a^2 b + 3ab^2 + b^3$,

l'intégrande peut être mise sous la forme d'une somme de quatre termes. Nous obtenons

$\int\left(\dfrac{1 + \sqrt{x}}{\sqrt[4]{x}}\right)^3 dx = \int\left(x^{-\frac{1}{4}} + x^{\frac{1}{4}}\right)^3 dx$

$\qquad = \int\left(x^{-\frac{3}{4}} + 3x^{-\frac{1}{4}} + 3x^{\frac{1}{4}} + x^{\frac{3}{4}}\right)dx$

$\qquad = \int x^{-\frac{3}{4}}\,dx + 3\int x^{-\frac{1}{4}}\,dx + 3\int x^{\frac{1}{4}}\,dx + \int x^{\frac{3}{4}}\,dx$

$\qquad\qquad\qquad\qquad\qquad\qquad\qquad$ règles II et I

$$= 4x^{1/4} + 4x^{3/4} + \frac{12}{5}x^{5/4} + \frac{4}{7}x^{7/4} + C \qquad \text{formule 1}$$

$$= 4\sqrt[4]{x} + 4\sqrt[4]{x^3} + \frac{12}{5}x\sqrt[4]{x} + \frac{4}{7}x\sqrt[4]{x^3} + C.$$

c) $\int \dfrac{2x^2 - 3x + 1}{x + 1}\, dx$

Divisons le numérateur par le dénominateur.

$$
\begin{array}{r|l}
2x^2 - 3x + 1 & \underline{x + 1} \\
\underline{2x^2 + 2x} & 2x - 5 \\
\;\; -5x + 1 & \\
\;\; \underline{-5x - 5} & \\
\;\;\;\;\;\; 6 &
\end{array}
$$

Nous obtenons

$$\frac{2x^2 - 3x + 1}{x + 1} = 2x - 5 + \frac{6}{x + 1}$$

et

$$\int \frac{2x^2 - 3x + 1}{x + 1}\, dx = \int \left(2x - 5 + \frac{6}{x + 1} \right) dx$$

$$= 2\int x\, dx - 5\int dx + 6\int \frac{1}{x + 1}\, dx \qquad \text{règles II et I}$$

$$= x^2 - 5x + 6\ln|x + 1| + C. \qquad \text{formules 1 et 2}$$

d) $\int \dfrac{x\, dx}{\sqrt{1 + 3x^2}} = \int \left(1 + 3x^2\right)^{-1/2} x\, dx = \int \frac{1}{6}\left(1 + 3x^2\right)^{-1/2} 6x\, dx$

$$= \frac{1}{6}\int \left(1 + 3x^2\right)^{-1/2} 6x\, dx \qquad \text{règle I}$$

$$= \frac{1}{6} \frac{\left(1 + 3x^2\right)^{1/2}}{1/2} + C \qquad \text{règle III } a \text{ où } f(x) = 1 + 3x^2$$

$$= \frac{1}{3}\sqrt{1 + 3x^2} + C$$

e) $\int \left(\cot x + \dfrac{\sin x}{\cos^2 x} \right) dx$

$$= \int \cot x \, dx + \int \frac{\sin x}{\cos^2 x} \, dx \qquad \text{règle II}$$

$$= \int \frac{\cos x}{\sin x} \, dx + \int \frac{1}{\cos x} \frac{\sin x}{\cos x} \, dx$$

$$= \ln|\sin x| + C_1 + \int \sec x \tan x \, dx \qquad \text{règle III } b \text{ où}$$
$$\qquad\qquad\qquad\qquad\qquad\qquad\qquad\qquad f(x) = \sin x$$

$$= \ln|\sin x| + C_1 + \sec x + C_2 \qquad \text{formule 7}$$

$$= \ln|\sin x| + \sec x + C$$

3. Calculer

$$\int \sin 2x \, dx$$

a) **par substitution** $t = 2x$
b) **par substitution** $t = \sin x$

Expliquer la différence entre les résultats obtenus en *a)* **et** *b)*.

SOLUTION

a) $\displaystyle \int \sin 2x \, dx = \frac{1}{2} \int \sin 2x \, 2dx$

Substituons $t = 2x$, alors $dt = 2dx$.
Nous obtenons
$$\int \sin 2x \, dx = \frac{1}{2} \int \sin t \, dt = -\frac{1}{2} \cos t + C_1 = -\frac{1}{2} \cos 2x + C_1.$$

b) $\displaystyle \int \sin 2x \, dx$

L'identité trigonométrique
$$\sin 2x = 2 \sin x \cos x$$
met l'intégrande sous une forme qui permet de calculer cette intégrale par substitution $t = \sin x$ d'où $dt = \cos x \, dx$.
Alors,
$$\int \sin 2x \, dx = \int 2 \sin x \cos x \, dx = \int 2t \, dt = t^2 + C_2 = \sin^2 x + C_2.$$
Calculons la différence entre les fonctions obtenues en *a)* et *b)*.

$$\left(-\frac{1}{2}\cos 2x + C_1\right) - \left(\sin^2 x + C_2\right) = -\frac{1}{2}\left(\cos^2 x - \sin^2 x\right) - \sin^2 x$$

$$+C_1 - C_2 = -\frac{1}{2}\left(\cos^2 x + \sin^2 x\right) + C_1 - C_2 = -\frac{1}{2} + C_1 - C_2$$

Puisque la différence obtenue est une constante, les deux fonctions sont des primitives de $\sin 2x$.

 REMARQUE   Sur un intervalle donné, les deux primitives d'une fonction ne diffèrent que par une constante.

RÉPONSE

$a)$ $\displaystyle\int \sin 2x \, dx = -\frac{1}{2}\cos 2x + C_1$

$b)$ $\displaystyle\int \sin 2x \, dx = \sin^2 x + C_2$

SOMMES ET AIRE

- **SYMBOLE $\sum$** : Nous notons $a_1 + a_2 + \ldots + a_n = \sum_{i=1}^{n} a_i$.

  L'expression $\sum_{i=1}^{n} a_i$ se lit «somme des a_i pour i entier variant de 1 à n».

- **PROPRIÉTÉS DES SOMMATIONS**

  1. $\sum_{i=1}^{n} (a_i \pm b_i) = \sum_{i=1}^{n} a_i \pm \sum_{i=1}^{n} b_i$

  2. $\sum_{i=1}^{n} c\, a_i = c \sum_{i=1}^{n} a_i$ où c est une constante

  3. $\sum_{i=1}^{n} c = c \times n$ où c est une constante

  4. Si $a_i \le b_i$ pour tout $i \in \{1, 2, \ldots, n\}$, alors $\sum_{i=1}^{n} a_i \le \sum_{i=1}^{n} b_i$.

  5. Si $1 < p < n$, alors $\sum_{i=1}^{n} a_i = \sum_{i=1}^{p} a_i + \sum_{i=p+1}^{n} a_i$.

- **FONCTION EN ESCALIER :** g sera appelée une fonction en escalier sur $[a, b]$ si l'on peut subdiviser $[a, b]$ en sous-intervalles de telle sorte que pour chacun de ces sous-intervalles, g est une fonction constante (voir figure 1).

- **LA SOMME INFÉRIEURE**, pour une fonction f non négative sur $[a, b]$, est définie comme l'aire de la région sous la courbe d'une fonction en escalier g non négative pour laquelle $g(x) \le f(x)$ sur $[a, b]$ (voir figure 2). Si $g(x) = k_i$ sur le i^e sous-intervalle $[x_{i-1}, x_i]$, alors la somme inférieure est

  $s = \sum_{i=1}^{n} k_i \Delta x_i$ où $\Delta x_i = x_i - x_{i-1}$.

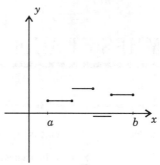

FIGURE   1

- **LA SOMME SUPÉRIEURE**, pour f non négative sur $[a, b]$, est définie comme l'aire de la région sous la courbe d'une fonction en escalier h non négative pour laquelle $h(x) \geq f(x)$ sur $[a, b]$ (voir figure 3). Si $h(x) = l_i$ sur le i^e sous-intervalle $[x_{i-1}, x_i[$, alors la somme supérieure est

$$S = \sum_{i=1}^{n} l_i \Delta x_i \quad \text{où} \quad \Delta x_i = x_i - x_{i-1}.$$

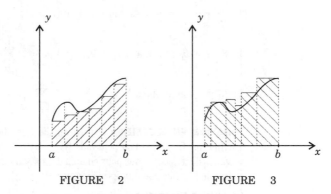

FIGURE   2   FIGURE   3

- **L'AIRE DE LA RÉGION SOUS LA COURBE** d'une fonction f non négative est le nombre A qui est plus grand ou égal à toute somme inférieure et plus petit ou égal à toute somme supérieure.

Exercices

4. **Soit *f* une fonction définie par**

$$f(x) = 3 - x .$$

Utiliser les sommes inférieures et supérieures pour trouver l'aire de la région sous la courbe $y = f(x)$ **sur l'intervalle [–1 , 2].**

SOLUTION

Divisons l'intervalle [–1 , 2] en n parties égales $\left(\Delta x_i = \dfrac{b-a}{n} \right)$

par les nombres $x_1 = -1 + \dfrac{3}{n}, x_2 = -1 + 2 \times \dfrac{3}{n}, ..., x_n = -1 + n \times \dfrac{3}{n}$.

Nous obtenons n sous-intervalles

$$\left[x_{i-1}, x_i \right] = \left[-1 + \frac{3(i-1)}{n}, -1 + \frac{3i}{n} \right] \text{ pour } i = 1, 2, ..., n.$$

Soit

$$k_i = f(x_i) = 3 - x_i = 4 - \frac{3i}{n}$$

et

$$l_i = f(x_{i-1}) = 3 - x_{i-1} = 4 - \frac{3(i-1)}{n} .$$

Les valeurs k_i et l_i sont respectivement le minimum et le maximum de la fonction *f* sur le i^e sous-intervalle (voir figure 4).

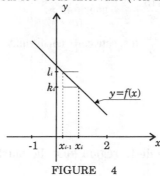

FIGURE 4

REMARQUE La fonction décroissante atteint son maximum à l'extrémité gauche et son minimum à l'extrémité droite de l'intervalle de décroissance.
Si la fonction est croissante, le minimum est à la borne de gauche et le maximum à la borne de droite de l'intervalle de croissance.

Les sommes inférieure et supérieure sont donc respectivement

$$s = \sum_{i=1}^{n} k_i \Delta x_i = \sum_{i=1}^{n} \left(4 - \frac{3i}{n} \right) \frac{3}{n} \text{ et } S = \sum_{i=1}^{n} l_i \Delta x_i = \sum_{i=1}^{n} \left(4 - \frac{3(i-1)}{n} \right) \frac{3}{n} .$$

Sachant que

$$\sum_{i=1}^{n} i = \frac{n(n+1)}{2} \text{ et } \sum_{i=1}^{n} (i-1) = \frac{(n-1)n}{2}$$

et en appliquant les propriétés des sommations, nous trouvons

$$s = \sum_{i=1}^{n} \frac{12}{n} - \sum_{i=1}^{n} \frac{9i}{n^2} = 12 - \frac{9}{n^2} \frac{n(n+1)}{2} = 12 - \frac{9(n+1)}{2n} = \frac{15}{2} - \frac{9}{2n}$$

et

$$S = \sum_{i=1}^{n} \frac{12}{n} - \sum_{i=1}^{n} \frac{9(i-1)}{n^2} = 12 - \frac{9}{n^2} \frac{(n-1)n}{2} = 12 - \frac{9(n-1)}{2n}$$

$$= \frac{15}{2} + \frac{9}{2n} .$$

Par définition, l'aire de la région sous la courbe $y = 3 - x$ sur l'intervalle $[-1 , 2]$ est le nombre unique A qui vérifie les inéquations

$$\frac{15}{2} - \frac{9}{2n} \leq A \leq \frac{15}{2} + \frac{9}{2n} \text{ pour tout } n.$$

Le nombre $A = \frac{15}{2}$ respecte cette condition.

RÉPONSE

$$A = \frac{15}{2}$$

5. Trouver l'aire de la région sous la courbe de la fonction f définie par

$$f(x) = |x - 2| + 1$$

entre $x = -1$ **et** $x = 3$.

SOLUTION

Exprimons la fonction f sous la forme d'une fonction par branche

$$f(x) = \begin{cases} 3 - x & \text{si } x \in [-1, 2] \\ x - 1 & \text{si } x \in \,]2, 3] \end{cases}.$$

L'aire que l'on doit trouver est la somme de l'aire (A_1) de la région sous la courbe de $f(x) = 3 - x$ sur [–1 , 2], et de l'aire (A_2) de la région sous la courbe de $f(x) = x - 1$ sur [2 , 3] (voir figure 5).

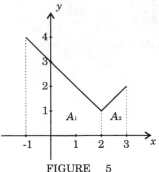

FIGURE 5

D'après le résultat précédent (voir l'exercice 4), $A_1 = \dfrac{15}{2}$.

Nous calculons l'aire A_2 de la même façon :

divisons l'intervalle [2 , 3] en n parties égales $\left(\Delta x_i = \dfrac{1}{n} \right)$ par les

nombres $x_1 = 2 + \dfrac{1}{n}, x_2 = 2 + \dfrac{2}{n}, \ldots, x_n = 2 + \dfrac{n}{n}$.

La fonction f est croissante sur l'intervalle [2 , 3], de même sur chaque sous-intervalle $[x_{i-1} , x_i]$ pour $i = 1, 2, \ldots, n$. Pour calculer les sommes inférieure et supérieure, nous posons donc

$$k_i = f(x_{i-1}) = x_{i-1} - 1 = 2 + \frac{i-1}{n} - 1 = 1 + \frac{i-1}{n}$$

pour trouver la somme inférieure

$$s = \sum_{i=1}^{n} k_i \Delta x_i = \sum_{i=1}^{n} \left(1 + \frac{i-1}{n}\right) \frac{1}{n} = \sum_{i=1}^{n} \frac{1}{n} + \sum_{i=1}^{n} \frac{i-1}{n^2} = \frac{3}{2} - \frac{1}{2n}$$

et

$$l_i = f(x_i) = x_i - 1 = 2 + \frac{i}{n} - 1 = 1 + \frac{i}{n}$$

pour trouver la somme supérieure

$$S = \sum_{i=1}^{n} l_i \Delta x_i = \sum_{i=1}^{n} \left(1 + \frac{i}{n}\right) \frac{1}{n} = \sum_{i=1}^{n} \frac{1}{n} + \sum_{i=1}^{n} \frac{i}{n^2} = \frac{3}{2} + \frac{1}{2n}.$$

Le nombre unique $A_2 = \dfrac{3}{2}$ vérifie les inéquations

$$\frac{3}{2} - \frac{1}{2n} \le A_2 \le \frac{3}{2} + \frac{1}{2n} \quad \text{pour tout } n.$$

Finalement $A = A_1 + A_2 = \dfrac{15}{2} + \dfrac{3}{2} = 9$.

RÉPONSE

$A = 9$

3 DÉFINITION DE L'INTÉGRALE DÉFINIE

À RETENIR

- **L'INTÉGRALE DÉFINIE :** Soit f une fonction définie dans l'intervalle $[a, b]$ partagé en n sous-intervalles par les points $x_1, x_2, ..., x_n$, et x^*_i, un point arbitraire du i^e sous-intervalle. Par définition, l'intégrale définie de f entre a et b est

$$\int_a^b f(x)\,dx = \lim_{n \to +\infty} \sum_{i=1}^n f\left(x^*_i\right)\Delta x_i$$

(si la limite du membre de droite existe) où $\Delta x_i = x_i - x_{i-1}$, et $\max \Delta x_i$ tend vers 0, lorsque n tend vers l'infini.

- Si la limite du membre de droite existe, la fonction f est dite intégrable sur $[a, b]$.

- Une fonction continue sur $[a, b]$ est intégrable sur $[a, b]$.

- Si f est une fonction non négative sur $[a, b]$, l'intégrale définie de f entre a et b est l'aire de la région sous la courbe $y = f(x)$ sur l'intervalle $[a, b]$ (voir figure 6 a).

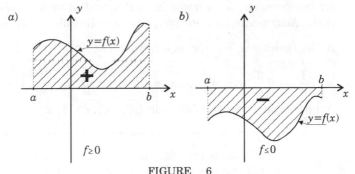

FIGURE 6

- Si f est une fonction non positive sur $[a, b]$, l'intégrale définie correspond à l'aire algébrique de la région entre la courbe de f et l'axe des abscisses sur l'intervalle $[a, b]$ (voir figure 6 b).

- **PROPRIÉTÉS DE L'INTÉGRALE DÉFINIE**

  Soit f et g deux fonctions intégrables sur $[a\ ,\ b]$.

  P$_1$ $\displaystyle\int_a^b \big(f(x) \pm g(x)\big)\,dx = \int_a^b f(x)\,dx \pm \int_a^b g(x)$

  P$_2$ $\displaystyle\int_a^b c\,f(x)\,dx = c\int_a^b f(x)\,dx$ c étant une constante

  P$_3$ $\displaystyle\int_a^b f(x)\,dx = -\int_b^a f(x)\,dx$

  P$_4$ Si $a \le c \le b$, alors $\displaystyle\int_a^b f(x)\,dx = \int_a^c f(x)\,dx + \int_c^b f(x)\,dx$.

Exercices

6. **À l'aide de la définition de l'intégrale définie, calculer**

   $$\int_0^1 x^2\,dx\ .$$

SOLUTION

La fonction quadratique est continue, donc intégrable sur l'intervalle $[0\ ,\ 1]$. Par conséquent, quel que soit le découpage de l'intervalle $[0\ ,\ 1]$ en segments $[x_{i-1}\ ,\ x_i]$ et quels que soient les points x^*_i sur ces segments, les sommes intégrales tendent vers la même valeur. Nous pouvons, par exemple, diviser l'intervalle $[0\ ,\ 1]$ en n parties égales $\left(\Delta x_i = \dfrac{1}{n}\right)$, c'est-à-dire par les points

$x_1 = \dfrac{1}{n}, x_2 = \dfrac{2}{n}, \ldots, x_i = \dfrac{i}{n}, \ldots, x_n = \dfrac{n}{n}$ et choisir $x^*_i = \dfrac{i}{n}$, l'extrémité droite de chaque sous-intervalle $[x_{i-1}\ ,\ x_i]$, $i = 1, 2, \ldots, n$.

REMARQUE La définition ne nous oblige pas à diviser l'intervalle de l'intégration en parties égales. Dans certains cas, il faut trouver un autre découpage pour simplifier le calcul de la limite.

Formons la somme intégrale

$$\sum_{i=1}^{n} f\left(x_i^*\right)\Delta x_i = \sum_{i=1}^{n}\left(\frac{i}{n}\right)^2 \frac{1}{n} \, .$$

Sachant que

$$\sum_{i=1}^{n} i^2 = 1^2 + 2^2 + \ldots + n^2 = \frac{n(n+1)(2n+1)}{6} \, ,$$

nous obtenons

$$\sum_{i=1}^{n} f\left(x_i^*\right)\Delta x_i = \frac{1}{n^3} \sum_{i=1}^{n} i^2 = \frac{1}{n^3} \frac{n(n+1)(2n+1)}{6} \, .$$

Donc,

$$\int_0^1 x^2 dx = \lim_{n \to +\infty} \frac{n(n+1)(2n+1)}{6n^3} = \lim_{n \to +\infty} \frac{2n^2 + 3n + 1}{6n^2} = \frac{1}{3} \, .$$

RÉPONSE

$$\int_0^1 x^2 dx = \frac{1}{3}$$

7. **Soit f la fonction définie par**

   $$f(x) = 4 - |x - 1| - |x - 3|$$

   sur l'intervalle $[0 , 4]$.

   $a)$ **Diviser l'intervalle $[0 , 4]$ en huit parties égales et trouver la somme intégrale de $\int_0^4 f(x)\,dx$ en posant x^*_i comme le milieu de chaque sous-intervalle.**

   $b)$ **Tracer le graphique de f et donner la représentation géométrique de la somme calculée en $a)$.**

   $c)$ **Évaluer**

   $$\int_o^4 f(x)\,dx$$

   en utilisant la formule d'aire correspondante de la géométrie plane.

   $d)$ **Comparer les résultats obtenus en $a)$ et $c)$. Si l'on change les points x^*_i, la valeur de la somme intégrale sera-t-elle la même?**

SOLUTION

a) Les points de division sont $x_i = 0 + i\Delta x_i$, $i = 1, 2, ..., 8$

où $\Delta x_i = \dfrac{4-0}{8} = 0,5$.

Sachant que la formule pour obtenir le point milieu de l'intervalle $[a , b]$ est $x_M = \dfrac{a+b}{2}$, nous avons

$$x_i^* = \dfrac{x_{i-1} + x_i}{2}, \quad i = 1, 2, ..., 8 .$$

Alors,

$$\sum_{i=1}^{8} f\left(x_i^*\right)\Delta x_i = \sum_{i=1}^{8}\left(4 - \left|x_i^* - 1\right| - \left|x_i^* - 3\right|\right) \times 0,5$$

$$= 0,5\left(\sum_{i=1}^{8} 4 - \sum_{i=1}^{8}\left|x_i^* - 1\right| - \sum_{i=1}^{8}\left|x_i^* - 3\right|\right)$$

$$= 0,5\left(4 \times 8 - 10 - 10\right) = 6 .$$

b) La formule de f par branches est

$$f(x) = \begin{cases} 2x & \text{si } x \in [0,1[\\ 2 & \text{si } x \in [1,3[\\ 8-2x & \text{si } x \in [3,4] \end{cases} .$$

La courbe de la figure 7 *a* représente le graphique de cette fonction.

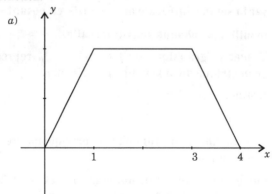

a)

FIGURE   7

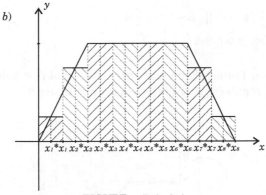

b)

FIGURE   7 (suite)

L'aire de la région ombrée de la figure 7 *b* représente la somme intégrale calculée en *a*).

c) L'intégrale

$$\int_0^4 \left(4 - |x - 1| - |x - 3|\right) dx$$

est égale à l'aire de la région sous la courbe
$y = 4 - |x - 1| - |x - 3|$ sur $[0, 4]$.

Cette région est un trapèze dont l'aire est donnée par la formule

$$A = \frac{(B + b)H}{2}$$

où B est la mesure de la grande base $(B = 4)$, b est la mesure de la petite base $(b = 2)$ et H, la mesure de la hauteur $(H = 2)$. Donc,

$$\int_0^4 \left(4 - |x - 1| - |x - 3|\right) dx = \frac{(4 + 2) \times 2}{2} = 6.$$

d) En général, la valeur de la somme intégrale n'est pas la même que celle de l'intégrale. Si l'on change les points x^*_i, on obtient la valeur de la somme proche de celle de l'intégrale (qui tend vers l'intégrale lorsque n tend vers l'infini).

RÉPONSE

a) Somme = 6
b) Voir figure 7

c) $\int_0^4 \big(4 - |x - 1| - |x - 3|\big)\,dx = 6$

d) Voir la solution

8. **Trouver l'intégrale définie entre $a = -2$ et $b = 6$ de la fonction f représentée graphiquement à la figure 8.**

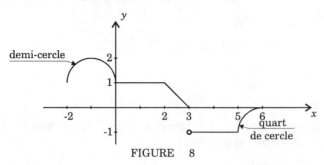

FIGURE 8

SOLUTION

L'intégrale définie

a)

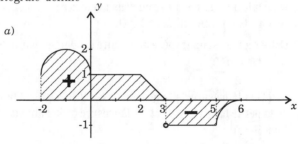

b)

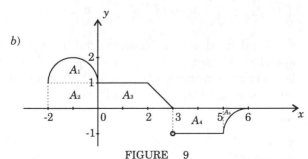

FIGURE 9

$$\int_{-2}^{6} f(x)\, dx$$

est l'aire algébrique de la région comprise entre la courbe $y = f(x)$, l'axe des abscisses, et les droites $x = -2$ et $x = 6$ (voir figure 9 a).

Divisons cette région en cinq parties (voir figure 9 b) dont les aires sont respectivement

$A_1 = \dfrac{1}{2}\,\pi r^2$ - l'aire d'un demi-cercle de rayon $r = 1$.

$A_2 = L \times l$ - l'aire d'un rectangle de longueur $L = 2$ et largeur $l = 1$.

$A_3 = \dfrac{(B+b) \times H}{2}$ - l'aire d'un trapèze de grande base $B = 3$, de petite base $b = 2$ et de hauteur $H = 1$.

$A_4 = L \times l$ - l'aire d'un rectangle de longueur $L = 2$ et de largeur $l = 1$.

$A_5 = a^2 - \dfrac{1}{4}\,\pi r^2$ - l'aire d'un triangle curviligne, que l'on peut trouver en soustrayant de l'aire d'un carré de côté $a = 1$, l'aire d'un quart de cercle de rayon $r = 1$.

Nous obtenons

$$\int_{-2}^{6} f(x)\, dx = A_1 + A_2 + A_3 - A_4 - A_5 = \frac{3}{4}\,\pi + \frac{3}{2}.$$

RÉPONSE

$$\int_{-2}^{6} f(x)\, dx = \frac{3}{4}\,\pi + \frac{3}{2}$$

THÉORÈMES FONDAMENTAUX DU CALCUL INTÉGRAL

4

- **THÉORÈMES FONDAMENTAUX**

  Soit f une fonction continue sur $[a\,,\,b]$.

  I Si F est une des primitives de f sur $[a\,,\,b]$, alors

  $$\int_a^b f(x)\,dx = F(x)\Big|_a^b = F(b) - F(a)\,.$$

  II La fonction F définie par

  $$F(x) = \int_a^x f(t)\,dt \quad \text{pour}\ x \in [a,b]$$

  est une primitive de f sur $[a\,,\,b]$, c'est-à-dire
  $F'(x) = f(x)$ pour tout x de l'intervalle $[a\,,\,b]$.

- **THÉORÈMES DE LA MOYENNE**

  Soit f une fonction continue sur $[a\,,\,b]$.

  I Si f est dérivable sur $]a\,,\,b[$, alors il existe au moins une valeur c dans $]a\,,\,b[$, telle que

  $$\frac{f(b) - f(a)}{b - a} = f'(c)\,.$$

  II (Pour les intégrales)

  Il existe au moins un point $x^* \in\,]a,b[$, tel que

  $$\int_a^b f(x)\,dx = f\!\left(x^*\right)(b - a)\,.$$

  La valeur

  $$f\!\left(x^*\right) = \frac{1}{b - a}\int_a^b f(x)\,dx$$

  est appelée la valeur moyenne de la fonction f sur $[a\,,\,b]$
  (on la note aussi $\overline{f(x)}_{[a,b]}$).

Exercices

9. **Calculer**

$$\int_1^2 (2x - 1)\, dx$$

a) **à l'aide de la définition de l'intégrale définie,**
b) **à l'aide de la formule de la géométrie plane,**
c) **en appliquant le théorème fondamental du calcul intégral.**

SOLUTION ET RÉPONSE

a) Divisons l'intervalle [1 , 2] en n parties égales $\left(\Delta x_i = \dfrac{1}{n} \right)$

par les points

$$x_i = 1 + i\Delta x_i = 1 + \frac{1}{n} \text{ pour } i = 1, 2, ..., n$$

et prenons pour x^*_i l'extremité gauche de chaque sous-intervalle $[x_{i-1} , x_i]$, c'est-à-dire

$$x^*_i = 1 + \frac{i-1}{n} \text{ pour } i = 1, 2, ..., n.$$

La somme intégrale est

$$\sum_{i=1}^n f\left(x^*_i\right) \Delta x_i = \sum_{i=1}^n \left[2\left(1 + \frac{i-1}{n}\right) - 1 \right]\frac{1}{n} =$$

$$= \frac{1}{n}\left[\sum_{i=1}^n 2 + \frac{2}{n}\sum_{i=1}^n (i-1) - \sum_{i=1}^n 1 \right] = \frac{1}{n}\left[2n + \frac{2}{n}\frac{(n-1)n}{2} - n \right]$$

$$= \frac{1}{n}(2n - 1) = 2 - \frac{1}{n}.$$

Donc,

$$\int_1^2 (2x-1)\, dx = \lim_{n \to +\infty} \sum_{i=1}^n f\left(x^*_i\right)\Delta x_i = \lim_{x \to +\infty}\left(2 - \frac{1}{n} \right) = 2.$$

b) Traçons le graphique de la fonction f (voir figure 10).
L'intégrale représente l'aire sous la droite $y = 2x - 1$ sur l'intervalle [1 , 2]. Cette région correspond à un trapèze dont les bases sont $B = 3$ et $b = 1$ et dont la hauteur est $h = 1$.

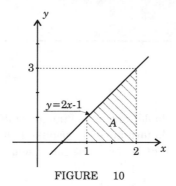

FIGURE 10

Ainsi,

$$\int_1^2 (2x-1)\,dx = \frac{(3+1)\times 1}{2} = 2\ .$$

c) Calculons

$$\int (2x-1)\,dx = 2\int x\,dx - \int dx = x^2 - x + C\ .$$

La fonction F telle que $F(x) = x^2 - x$ est une primitive de $f(x) = 2x - 1$. D'après le théorème fondamental I, nous obtenons

$$\int_2^2 (2x-1)\,dx = F(2) - F(1) = \left(2^2 - 2\right) - \left(1^2 - 1\right) = 2\ .$$

10. Soit f la fonction définie par

$$f(t) = \frac{1-t}{t^2+1}\ .$$

Calculer la dérivée de la fonction F définie ci-dessous.

a) $F(x) = \int_0^x f(t)\,dt$

b) $F(x) = \int_0^{x^2} f(t)\,dt$

c) $F(x) = \int_{-x^2}^{2x^2+1} f(t)\,dt$

SOLUTION

a) D'après le théorème fondamental II,

$$F'(x) = f(x) = \frac{1-x}{x^2+1} \, .$$

b)

REMARQUE   Nous calculons la dérivée d'une fonction composée F définie par

$$F(x) = \int_a^u f(t)\,dt \quad \text{où } u = g(x)$$

par dérivation en chaîne :

$$F'(x) = \frac{d}{du}\int_a^u f(t)\,dt \times \frac{du}{dx} = f(u) \times u' = f\big(g(x)\big) \times g'(x) \, .$$

La fonction F est la fonction composée où $u = g(x) = x^2$ définit la fonction interne.

D'après la formule

$$F'(x) = f\big(g(x)\big) \times g'(x) \, ,$$

nous obtenons

$$F'(x) = f\big(x^2\big) \times 2x = \frac{1-x^2}{\big(x^2\big)^2+1} \times 2x = \frac{2x\big(1-x^2\big)}{x^4+1} \, .$$

c)   En vertu de la propriété P_4 indiquée à la section 3, l'intégrale $\int_{-x^2}^{2x^2+1} f(t)\,dt$ peut s'écrire comme suit :

$$\int_{-x^2}^{2x^2+1} f(t)\,dt = \int_{-x^2}^{0} f(t)\,dt + \int_{0}^{2x^2+1} f(t)\,dt \, .$$

En vertu de la propriété P_3, on peut changer les bornes d'intégration de l'intégrale $\int_{-x^2}^{0} f(t)\,dt$, donc

$$F(x) = -\int_{0}^{-x^2} f(t)\,dt + \int_{0}^{2x^2+1} f(t)\,dt \, .$$

Ensuite, par dérivation en chaîne (voir remarque en b), nous obtenons

$$F'(x) = -f\big(-x^2\big)(-2x) + f\big(2x^2+1\big)(4x)$$

$$= 2x \frac{1-\left(-x^2\right)}{\left(-x^2\right)^2+1} + 4x \frac{1-\left(2x^2+1\right)}{\left(2x^2+1\right)^2+1}$$

$$= 2x \frac{1+x^2}{x^4+1} + 4x \frac{-2x^2}{4x^4+4x^2+2} = \frac{2x+2x^3}{4x^4+1} - \frac{4x^3}{2x^4+2x^2+1}.$$

RÉPONSE

$a)$ $\quad F'(x) = \dfrac{1-x}{x^2+1}$

$b)$ $\quad F'(x) = \dfrac{2x\left(1-x^2\right)}{x^4+1}$

$c)$ $\quad F'(x) = \dfrac{2x+2x^3}{x^4+1} - \dfrac{4x^3}{2x^4+2x^2+1}$

11. **Un autobus parcourt un trajet rectiligne entre deux arrêts pendant 7 minutes. En accélérant uniformément pendant 20 secondes, il atteint la vitesse 60 km/h. La dernière minute, l'autobus décélère selon la fonction vitesse donnée par la formule**

$$v(t) = \frac{t^2 - 10t + 21}{3}$$

où t est exprimé en minutes.

$a)$ **Quelle est la vitesse moyenne de l'autobus entre ces deux arrêts?**

$b)$ **Quelle distance sépare ces arrêts?**

SOLUTION

$a)$ La vitesse moyenne est la valeur moyenne de la fonction vitesse sur l'intervalle $[0\,,\,7]$. Elle est donc donnée par la formule

$$v_{moy} = \overline{v(t)}_{[0,7]} = \frac{1}{7} \int_0^7 v(t)\,dt\,.$$

Trouvons la formule qui définit la fonction vitesse. Pendant qu'il y a accélération uniforme, la vitesse est donnée par

$$v(t) = a \times t\,.$$

Au bout de 20 secondes (ou bien $\frac{1}{3}$ min), la vitesse est égale à 60 km/h, qui vaut $\frac{60\,km}{60\,min}$, ou bien 1 km/min. Donc

$$v\left(\frac{1}{3}\right) = a \times \frac{1}{3} = 1,$$

d'où $a = 3$ et

$$v(t) = 3t \text{ pour } t \in \left[0, \frac{1}{3}\right].$$

Entre $t = \frac{1}{3}$ et $t = 6$ la vitesse reste constante alors que, pendant la dernière minute, l'autobus décélère. La fonction vitesse est donc définie par branche comme suit :

$$v(t) = \begin{cases} 3t & \text{si } t \in \left[0, \dfrac{1}{3}\right] \\[2mm] 1 & \text{si } t \in \left]\dfrac{1}{3}, 6\right[\\[2mm] -\dfrac{t^2 - 10t + 21}{3} & \text{si } t \in [6, 7] \end{cases}$$

où le temps t est exprimé en minutes et la vitesse v en km/min. La vitesse moyenne de l'autobus sur l'intervalle [0 , 7] est

$$v_{moy} = \frac{1}{7} \int_0^7 v(t)\, dt = \frac{1}{7}\left[\int_0^{1/3} 3t\, dt + \int_{1/3}^6 dt + \int_6^7 \frac{t^2 - 10t + 21}{3}\, dt \right]$$

$$= \frac{1}{7}\left[\frac{3}{2} t^2 \Big|_0^{1/3} + t \Big|_{1/3}^6 - \frac{1}{9} t^3 \Big|_6^7 + \frac{10}{6} t^2 \Big|_6^7 - 7t \Big|_6^7 \right]$$

$$= \frac{1}{7}\left[\frac{3}{2}\left(\frac{1}{3}\right)^2 + 6 - \frac{1}{3} + \frac{1}{9}\left(7^3 - 6^3\right) - \frac{5}{3}\left(7^2 - 6^2\right) - 7 \right] = 0{,}9172.$$

Cette vitesse est exprimée en km/min.
En transformant l'unité de la vitesse, nous obtenons
0,9127 km/min = 54,76 km/h.

b) La vitesse étant la dérivée de la fonction position d'un mobile, inversement, la position d'un mobile est une primitive de la fonction vitesse qui respecte la condition $s(t_0) = s_0$ (position initiale du mobile). D'après le théorème fondamental II, la fonction

$$s(t) = \int_a^t v(\tau)\,d\tau$$

est une primitive de la vitesse, et la fonction

$$s(t) = s_0 + \int_{t_0}^t v(\tau)\,d\tau$$

est la primitive qui respecte la condition $s(t_0) = s_0$.

En soustrayant $s(7) - s(0)$, nous obtenons la distance d qui sépare les deux arrêts. Donc,

$$d = \int_0^7 v(t)\,dt = 6{,}4.$$

Cette distance est exprimée en kilomètres.

RÉPONSE

$a)$ $v_{moy} = 54{,}76$ km/h

$b)$ $d = 6{,}4$ km

ÉVALUATION D'UNE INTÉGRALE DÉFINIE PAR CHANGEMENT DE VARIABLE

5

- **THÉORÈME**

  Soit g une fonction dont la dérivée est continue sur $[a\ ,\ b]$ et soit f une fonction continue sur $[\alpha, \beta]$ où $\alpha = g(a)$ et $\beta = g(b)$. Alors

  $$\int_a^b f(g(x))g'(x)\,dx = \int_\alpha^\beta f(z)\,dz$$

  où $z = g(x)$.

Exercices

12. Calculer les intégrales ci-dessous en faisant le changement de variable indiqué.

$a)\quad \displaystyle\int_0^2 \left(2x^2 + 1\right)\sqrt[5]{2x^3 + 3x + 3}\,dx \qquad z = 2x^3 + 3x + 3$

$b)\quad \displaystyle\int_1^5 x\sqrt{x-1}\,dx \qquad\qquad\qquad z = \sqrt{x-1}$

$c)\quad \displaystyle\int_0^{\pi/2} \sin x \cos^2 x\,dx \qquad\qquad z = \cos x$

$d)\quad \displaystyle\int_0^{\ln 2} \frac{e^{3x}}{1 + e^x}\,dx \qquad\qquad\quad z = 1 + e^x$

SOLUTION

$a)\quad \displaystyle\int_0^2 \left(2x^2 + 1\right)\sqrt[5]{2x^3 + 3x + 3}\,dx$

Nous posons $z = 2x^3 + 3x + 3$, alors

$$dz = \left(6x^2 + 3\right)dx = 3\left(2x^2 + 1\right)dx \, .$$

D'où $\left(2x^2 + 1\right)dx = \dfrac{dz}{3}$. Nous remplaçons les bornes d'intégration en x par les valeurs correspondantes de z. Si $x = 0$, alors $z = 3$ et si $x = 2$, alors $z = 25$.

Quand nous effectuons un changement de variable dans une intégrale définie, nous devons penser à modifier la valeur des bornes de l'intégrale.

Ensuite, en effectuant le changement de variable, nous évaluons l'intégrale.

$$\int_0^2 \left(2x^2 + 1\right)\sqrt[5]{2x^3 + 3x + 3} \; dx = \int_3^{25}\sqrt[5]{z} \, dz = \frac{1}{3}\int_3^{25} z^{1/5} \, dz$$

$$= \frac{1}{3} \left.\frac{z^{6/5}}{6/5}\right|_3^{25} = \frac{5}{18}\left(25^{6/5} - 3^{6/5}\right) = \frac{5}{18}\left(25\sqrt[5]{25} - 3\sqrt[5]{3}\right)$$

1. Un changement de variable est adéquat lorsque la nouvelle intégrale définie s'exprime uniquement en termes de z (la nouvelle variable), de plus, elle est facile à évaluer.
2. Dans le calcul de l'intégrale définie par changement de variable, on ne revient pas à l'ancienne variable. Les valeurs numériques des deux intégrales (en termes de x et en termes de z) sont égales.

b) $\displaystyle\int_1^5 x\sqrt{x-1} \, dx$

Posons $z = \sqrt{x-1}$.

D'où $x = z^2 + 1$ et $dx = 2z \, dz$.

Si $x = 1$, alors $z = 0$ et si $x = 5$, alors $z = 2$. En appliquant ce changement de variable, nous obtenons

$$\int_1^5 x\sqrt{x-1} \, dx = \int_0^2 \left(z^2 + 1\right) z \, 2z \, dz = 2\int_0^2 \left(z^4 + z^2\right)dz$$

$$= 2\left(\frac{1}{5}z^5\bigg|_0^2 + \frac{1}{3}z^3\bigg|_0^2\right) = \frac{272}{15}\ .$$

c) $\int_0^{\pi/2} \sin x \cos^2 x\, dx$

Posons $z = \cos x$, alors $dz = -\sin x\, dx$. D'où $\sin x\, dx = -dz$.

Si $x = 0$, alors $z = 1$ et si $x = \dfrac{\pi}{2}$, alors $z = 0$.

Or

$$\int_0^{\pi/2} \sin x \cos^2 x\, dx = -\int_1^0 z^2 dz = \int_0^1 z^2 dz = \frac{1}{3}z^3\bigg|_0^1 = \frac{1}{3}\ .$$

 REMARQUE   Dans ce calcul, nous avons appliqué la propriété P_3 énoncée à la section 3 :

$$\int_a^b f(x)\, dx = -\int_b^a f(x)\, dx\ .$$

d) $\int_0^{\ln 2} \dfrac{e^{3x}}{1 + e^x}\, dx$

Posons $z = 1 + e^x$, et $dz = e^x dx$. D'où $dx = \dfrac{1}{e^x}dz = \dfrac{1}{z-1}dz$.

Nous remplaçons les bornes $x = 0$ et $x = \ln 2$ de l'intégrale en termes de x par les bornes $z = 1 + e^0 = 2$ et

$z = 1 + e^{\ln 2} = 1 + 2 = 3$ pour l'intégrale en termes de z.

 REMARQUE   Dans ce calcul, nous avons appliqué la propriété des puissances énoncée ci-dessous :

$a^{\log x} = x$ qui devient $e^{\ln x} = x$ pour $a = e$.

Dans ce cas, le changement de variable proposé nous donne

$$\int_0^{\ln 2} \frac{e^{3x}}{1 + e^x}\, dx = \int_2^3 \frac{(z-1)^3}{z}\frac{1}{z-1}\, dz = \int_2^3 \frac{(z-1)^2}{z}\, dz$$

$$= \int_2^3 \left(z - 2 + \frac{1}{z} \right) dz = \frac{1}{2} z^2 \bigg|_2^3 - 2z \bigg|_2^3 + \ln|z| \bigg|_2^3 = \frac{1}{2} - \ln \frac{3}{2} \, .$$

RÉPONSE

a) $\displaystyle \int_0^2 (2x^2 + 1) \sqrt{2x^3 + 3x + 3} \, dx = \frac{5}{18} \left(25\sqrt[5]{25} - 3\sqrt[5]{3} \right)$

b) $\displaystyle \int_1^5 x \sqrt{x - 1} \, dx = \frac{272}{15}$

c) $\displaystyle \int_0^{\pi/2} \sin x \cos^2 x \, dx = \frac{1}{3}$

d) $\displaystyle \int_0^{\ln 2} \frac{e^{3x}}{1 + e^x} \, dx = \frac{1}{2} - \ln \frac{3}{2}$

II

Techniques d'intégration

1 - Intégration par parties

2 - Intégration des fonctions trigonométriques

3 - Intégration par fractions partielles

4 - Intégration par substitutions trigonométriques

INTÉGRATION PAR PARTIES

- **FORMULE D'INTÉGRATION PAR PARTIES D'UNE INTÉGRALE INDÉFINIE :** Soit u et v deux fonctions d'une même variable x. Si u et v sont dérivables, alors

$$d(uv) = u\,dv + v\,du \quad \text{où} \quad u\,dv = d(uv) - v\,du .$$

D'où, en intégrant de chaque côté, nous trouvons la formule d'intégration par parties :

$$\int u\,dv = uv - \int v\,du .$$

Nous pouvons aussi écrire :

$$\int u(x)v'(x)\,dx = u(x)v(x) - \int v(x)u'(x)\,dx .$$

- **FORMULE D'INTÉGRATION PAR PARTIES D'UNE INTÉGRALE DÉFINIE :** Soit u et v deux fonctions dont les dérivées u' et v' sont continues dans l'intervalle $[a, b]$. Alors

$$\int_a^b u(x)v'(x)\,dx = u(x)v(x)\Big|_a^b - \int_a^b u'(x)v(x)\,dx .$$

Exercices

13. Calculer

a) $\int \ln x\,dx$

b) $\int \ln^2 x\,dx$

c) $\int x^2 \ln x\,dx$

SOLUTION

a) $\int \ln x\,dx$

Posons $u = \ln x$ et $dv = dx$.

Alors $du = \dfrac{1}{x} dx$ et $v = x$.

En utilisant la formule d'intégration par parties, nous obtenons

$$\int \ln x \, dx = [\ln x] \times x - \int x \times \frac{1}{x} dx = x \ln x - \int dx$$

$$= x \ln x - x + C = x(\ln x - 1) + C .$$

REMARQUE Dans le calcul de v, nous n'avons pas tenu compte de la constante d'intégration, parce que si nous la considérons, les termes qu'elle affectera s'annuleront dans le calcul. En effet, si nous posons

$u = \ln x$ et $dv = dx$

$du = \dfrac{1}{x} dx$ et $v = x + C$,

alors

$$\int \ln x \, dx = [\ln x] \times (x + C) - \int (x + C) \times \frac{1}{x} dx$$

$$= x \ln x + C \ln x - \int dx - C \int \frac{1}{x} dx$$

$$= x \ln x + C \ln x - \int dx - C \ln x = x \ln x - \int dx .$$

b) $\int \ln^2 x \, dx$

1re méthode
Posons
$u = \ln x$ $dv = \ln x \, dx$

$du = \dfrac{dx}{x}$ $v = x(\ln x - 1)$ (d'après le résultat obtenu en *a*)

En utilisant la formule d'intégration par parties, nous obtenons

$$\int \ln^2 x \, dx = \int \ln x \ln x \, dx = [\ln x][x(\ln x - 1)] - \int x(\ln x - 1) \frac{dx}{x}$$

$$= x \ln^2 x - x \ln x - \int (\ln x - 1) dx = x \ln^2 x - x \ln x$$

$$- \int \ln x \, dx + \int dx = x \ln^2 x - x \ln x - x(\ln x - 1) + x + C$$

$$= x \ln^2 x - 2x \ln x + 2x + C .$$

2e méthode
Posons

$$u = \ln^2 x \qquad\qquad dv = dx$$

$$du = 2\ln x\,\frac{dx}{x} \qquad\qquad v = x\,.$$

Dans ce cas

$$\int \ln^2 x\,dx = \left[\ln^2 x\right]\!\left[x\right] - \int x \times 2\ln x\,\frac{dx}{x} = x\ln^2 x - 2\int \ln x\,dx$$

$$= x\ln^2 x - 2x(\ln x - 1) + C\,. \qquad \text{(d'après le résultat}$$
$$\text{obtenu en } a)$$

 REMARQUE — Dans la technique d'intégration par parties, l'intégrale initiale est remplacée par l'intégrale du produit $u\,dv$. Comme nous venons de le voir, le choix de u et de dv peut ne pas être unique. Un bon choix sera celui où

1. dv sera facilement intégrable ;
2. l'intégrale $\int v\,du$ sera plus facile à résoudre que l'intégrale initiale.

---

c) Pour calculer $\int x^2 \ln x\,dx$, nous pouvons choisir u et dv de deux façons

1er choix
Posons

$$u = \ln x \qquad\qquad dv = x^2 dx$$

$$du = \frac{dx}{x} \qquad\qquad v = \frac{1}{3}x^3\,.$$

Alors

$$\int x^2 \ln x\,dx = \int [\ln x]x^2 dx = [\ln x]\!\left[\frac{1}{3}x^3\right] - \int \frac{1}{3}x^3\,\frac{dx}{x}$$

$$= \frac{1}{3}x^3 \ln x - \frac{1}{3}\int x^2 dx = \frac{1}{3}x^3 \ln x - \frac{1}{9}x^3 + C\,.$$

2e choix
Posons

$$u = x^2 \qquad\qquad dv = \ln x\,dx$$

$$du = 2x\,dx \qquad v = x(\ln x - 1) \qquad \text{(d'après le résultat}$$
$$\text{obtenu en } a)$$

Alors

$$\int x^2 \ln x\,dx = x^3(\ln x - 1) - 2\int x^2(\ln x - 1)\,dx$$

$$= x^3(\ln x - 1) - 2\int x^2 \ln x\,dx + 2\int x^2 dx$$

$$= x^3(\ln x - 1) - 2\int x^2 \ln x\,dx + \frac{2}{3}x^3 + C.$$

Nous voyons que l'intégrale cherchée $\int x^2 \ln x\,dx$ apparaît de chaque côté de l'égalité. Si nous posons $I = \int x^2 \ln x\,dx$, nous obtenons alors

$$I = x^3(\ln x - 1) - 2I + \frac{2}{3}x^3 + C_1.$$

En isolant I de l'équation ci-dessus, nous obtenons

$$3I = x^3 \ln x - \frac{1}{3}x^3 + C_1$$

$$I = \frac{1}{3}x^3 \ln x - \frac{1}{9}x^3 + C$$

où $C = \frac{1}{3}C_1$ est une nouvelle constante d'intégration.

RÉPONSE

$a)$ $\int \ln x\,dx = x(\ln x - 1) + C$

$b)$ $\int \ln^2 x\,dx = x \ln^2 x - 2x \ln x + 2x + C$

$c)$ $\int x^2 \ln x\,dx = \frac{1}{3}x^3 \ln x - \frac{1}{9}x^3 + C$

14. Pour calculer l'intégrale

$$\int e^x \ln\left(2 + e^x\right) dx$$

par la technique d'intégration par parties, nous avons posé

$a)$ $u = e^x$ **et** $dv = \ln\left(2 + e^x\right)dx$

$b)$ $u = \ln\left(2 + e^x\right)$ **et** $dv = e^x dx$.

Parmi ces deux choix, trouver celui qui est le meilleur.

SOLUTION

Si nous posons

$$u = e^x \qquad\qquad dv = \ln\left(2 + e^x\right)dx$$

alors

$$du = e^x dx \qquad\qquad v = \int \ln\left(2 + e^x\right)dx$$

Aucune technique d'intégration (changement de variable ou par parties) ne s'applique pour résoudre $\int \ln\left(2 + e^x\right)dx$. Le choix $a)$ est donc mauvais.

Nous posons alors

$$u = \ln\left(2 + e^x\right) \qquad dv = e^x$$

$$du = \frac{e^x dx}{2 + e^x} \qquad v = e^x .$$

En utilisant la formule d'intégration par parties, nous trouvons

$$\int e^x \ln\left(2 + e^x\right)dx = e^x \ln\left(2 + e^x\right) - \int e^x \frac{e^x dx}{2 + e^x} .$$

Nous pouvons facilement résoudre cette dernière intégrale en utilisant, par exemple, le changement de variable $t = 2 + e^x$. En effet, si nous posons $t = 2 + e^x$ et $dt = e^x dx$, nous obtenons

$$\int e^x \frac{e^x dx}{2 + e^x} = \int (t - 2)\frac{dt}{t} = \int dt - 2\int \frac{dt}{t}$$

$$= t - 2\ln|t| + C = 2 + e^x - 2\ln\left|2 + e^x\right| + C .$$

RÉPONSE

Le choix $b)$ est le meilleur.

15. **Calculer**

$a)$ $\int x^2 e^{2x} dx$

b) $\int \left(x^3 + 2x^2 \right) \cos 2x\, dx$

c) $\int e^x \sin x\, dx$

d) $\int x\, e^x \sin x\, dx$

SOLUTION

a) $\int x^2 e^{2x} dx$

Pour évaluer cette intégrale, nous appliquons deux fois la technique d'intégration par parties. D'abord, posons

$$u = x^2 \qquad\qquad dv = e^{2x} dx$$

$$du = 2x\, dx \qquad\qquad v = \frac{e^{2x}}{2}.$$

Alors,

$$\int x^2 e^{2x} dx = x^2 \frac{e^{2x}}{2} - \int x\, e^{2x} dx.$$

Ensuite, nous posons

$$u = x \qquad\qquad dv = e^{2x} dx$$

$$du = dx \qquad\qquad v = \frac{e^{2x}}{2}.$$

Alors

$$\int x^2 e^{2x} dx = x^2 \frac{e^{2x}}{2} - \left[x \frac{e^{2x}}{2} - \int \frac{e^{2x}}{2} dx \right]$$

$$= x^2 \frac{e^{2x}}{2} - x \frac{e^{2x}}{2} + \frac{e^{2x}}{4} + C.$$

 REMARQUE — Pour calculer les intégrales du type :

$$\int P_n(x) e^{kx} dx, \ \int P_n(x) \sin x\, dx, \ \int P_n(x) \cos x\, dx$$

où $P_n(x)$ est un polynôme entier en x d'ordre n, nous posons

$$u = P_n(x) \quad dv = e^{kx} dx \ (\text{ou } \sin x\, dx \ , \text{ou } \cos x\, dx \ .$$

Dans chacun de ces cas, nous devons répéter n fois la technique d'intégration par parties pour résoudre l'intégrale initiale.

---

b) $\int \left(x^3 + 2x^2\right) \cos 2x \, dx$

Pour calculer cette intégrale, nous appliquons trois fois la technique d'intégration par parties. D'abord nous posons

$$u = x^3 + 2x^2 \qquad\qquad dv = \cos 2x \, dx$$

$$du = \left(3x^2 + 4x\right) dx \qquad v = \frac{1}{2} \sin 2x \, .$$

Alors

$$\int \left(x^3 + 2x^2\right) \cos 2x \, dx$$

$$= \frac{1}{2} \left(x^3 + 2x^2\right) \sin 2x - \frac{1}{2} \int \left(3x^2 + 4x\right) \sin 2x \, dx \, .$$

Ensuite, nous posons

$$u = 3x^2 + 4x \qquad\qquad dv = \sin 2x \, dx$$

$$du = \left(6x + 4\right) dx \qquad v = -\frac{1}{2} \cos 2x \, .$$

Alors,

$$\int \left(x^3 + 2x^2\right) \cos 2x \, dx = \frac{1}{2} \left(x^3 + 2x^2\right) \sin 2x$$

$$+ \frac{1}{4} \left(3x^2 + 4x\right) \cos 2x - \frac{1}{4} \int \left(6x + 4\right) \cos 2x \, dx \, .$$

Ensuite, nous posons

$$u = 6x + 4 \qquad\qquad dv = \cos 2x$$

$$du = 6dx \qquad\qquad v = \frac{1}{2} \sin 2x \, .$$

Alors

$$\int \left(x^3 + 2x^2\right) \cos 2x \, dx$$

$$= \frac{1}{2} \left(x^3 + 2x^2\right) \sin 2x + \frac{1}{4} \left(3x^2 + 4x\right) \cos 2x$$

$$- \frac{1}{8} \left(6x + 4\right) \sin 2x + \frac{3}{4} \int \sin 2x \, dx$$

$$= \frac{1}{2} \left(x^3 + 2x^2\right) \sin 2x + \frac{1}{4} \left(3x^2 + 4x\right) \cos 2x$$

$$- \frac{1}{4} \left(3x + 2\right) \sin 2x - \frac{3}{8} \cos 2x + C$$

$$= \left(\frac{1}{2} x^3 + x^2 - \frac{3}{4} x - \frac{1}{2} \right) \sin 2x + \left(\frac{3}{4} x^2 + x - \frac{3}{8} \right) \cos 2x + C .$$

c) $\int e^x \sin x\, dx$

Posons

$u = e^x \qquad\qquad dv = \sin x\, dx$

$du = e^x dx \qquad\qquad v = -\cos x .$

Nous obtenons

$\int e^x \sin x\, dx = -e^x \cos x + \int e^x \cos x\, dx .$

Nous remarquons que l'intégrale obtenue a une forme semblable à celle de départ. C'est seulement la fonction trigonométrique qui est changée. Encore une fois, nous appliquons la technique d'intégration par parties.

Posons

$u = e^x \qquad\qquad dv = \cos x\, dx$

$du = e^x dx \qquad\qquad v = \sin x .$

Nous obtenons

$\int e^x \sin x\, dx = -e^x \cos x + e^x \sin x - \int e^x \sin x\, dx .$

Si à la deuxième étape nous choisissons
$u = \cos x \qquad dv = e^x dx$
nous revenons à l'intégrale initiale. Ce choix est donc à écarter.

L'intégrale cherchée apparaît des deux cotés. Nous pouvons donc l'isoler.

$$2 \int e^x \sin x\, dx = e^x (\sin x - \cos x)\, dx + C$$

$$\int e^x \sin x\, dx = \frac{1}{2} e^x (\sin x - \cos x)\, dx + \frac{1}{2} C$$

$$= \frac{1}{2} e^x (\sin x - \cos x)\, dx + C_1$$

d) $\int x\, e^x \sin x\, dx$

Si nous posons

$$u = x \qquad dv = e^x \sin x \, dx$$

$$du = dx \qquad v = \int e^x \sin x \, dx = \frac{1}{2} e^x (\sin x - \cos x)$$

(voir le résultat en 15 c)

nous obtenons alors

$$\int x e^x \sin x \, dx$$

$$= \frac{1}{2} x e^x (\sin x - \cos x) - \int \frac{1}{2} e^x (\sin x - \cos x) \, dx$$

$$= \frac{1}{2} x e^x (\sin x - \cos x) - \frac{1}{2} \int e^x \sin x \, dx + \frac{1}{2} \int e^x \cos x \, dx \, .$$

Puisque $\int e^x \sin x \, dx = -e^x \cos x + \int e^x \cos x \, dx$ (voir la solution de l'exercice 15 c), alors l'intégrale $\int e^x \cos x \, dx$ va s'annuler et finalement

$$\int x e^x \sin x \, dx$$

$$= \frac{1}{2} x e^x (\sin x - \cos x) - \frac{1}{2} \left(-e^x \cos x + \int e^x \cos x \, dx \right)$$

$$+ \frac{1}{2} \int e^x \cos x \, dx = \frac{1}{2} x e^x (\sin x - \cos x) + \frac{1}{2} e^x \cos x + C \, .$$

REMARQUE Pour calculer cette intégrale, nous pouvons aussi poser

$$u = x e^x \qquad dv = \sin x \, dx$$

ou bien

$$u = x \sin x \qquad dv = e^x dx \, .$$

Ces trois choix sont bons. Par contre, celui que nous avons fait semble être le plus simple.

RÉPONSE

$a)$ $\quad \int x^2 e^{2x} dx = \frac{1}{2} x^2 e^{2x} - \frac{1}{2} x e^{2x} + \frac{1}{4} e^{2x} + C$

b) $\int (x^3 + 2x^2) \cos 2x \, dx = \left(\dfrac{1}{2} x^3 + x^2 - \dfrac{3}{4} x - \dfrac{1}{2} \right) \sin 2x$

$\qquad + \left(\dfrac{3}{4} x^2 + x - \dfrac{3}{8} \right) \cos 2x + C$

c) $\int e^x \sin x \, dx = \dfrac{1}{2} e^x (\sin x - \cos x) + C$

d) $\int x \, e^x \sin x \, dx = \dfrac{1}{2} x \, e^x (\sin x - \cos x) + \dfrac{1}{2} e^x \cos x + C$

16. Calculer les intégrales ci-dessous par la technique d'intégration par parties en faisant d'abord un changement de variable.

a) $\int x^5 e^{2x^2} dx$

b) $\int \cos(\ln x) \, dx$

c) $\int_0^{\pi^2} \sin \sqrt{x} \, dx$

d) $\int_0^1 \arcsin x \, dx$

SOLUTION

a) $\int x^5 e^{2x^2} dx$

Posons

$z = x^2$, alors $dz = 2x \, dx$.

L'intégrale initiale devient donc

$\int x^5 e^{2x^2} dx = \dfrac{1}{2} \int \left(x^2 \right)^2 e^{2x^2} 2x \, dx = \dfrac{1}{2} \int z^2 e^{2z} dz$.

Nous appliquons deux fois la technique d'intégration par parties sur l'intégrale.

$\int \underbrace{z^2}_{u} \underbrace{e^{2z} dz}_{dv} = \dfrac{1}{2} z^2 e^{2z} - \int \underbrace{z}_{u} \underbrace{\dfrac{e^{2z} dz}{dv}}$

$\qquad \dfrac{1}{2} z^2 e^{2z} - \left[\dfrac{1}{2} z \, e^{2z} - \dfrac{1}{2} \int e^{2z} dz \right]$

$\qquad = \dfrac{1}{2} z^2 e^{2z} - \dfrac{1}{2} z e^{2z} + \dfrac{1}{4} e^{2z} + C$

Alors,

$$\int x^5 e^{2z^2}\, dx = \frac{1}{4}x^4 e^{2x^2} - \frac{1}{4}x^2 e^{2x^2} + \frac{1}{8}e^{2x^2} + C\,.$$

 REMARQUE — Dans le cas d'une intégrale indéfinie résolue par changement de variable, nous exprimons toujours la solution finale en termes de la variable initiale.

---

b) $\int \cos(\ln x)\, dx$

Posons $z = \ln x$. Alors $x = e^z$ et $dx = e^z dz$. L'intégrale initiale devient donc

$$\int \cos(\ln x)\, dx = \int e^z \cos z\, dz\,.$$

Nous appliquons deux fois la technique d'intégration par parties (comparer l'exercice 15 c).

$$\int \underbrace{e^z}_{u}\underbrace{\cos z\, dz}_{dv} = e^z \sin z - \int \underbrace{e^z}_{u}\underbrace{\sin z\, dz}_{dv}$$

$$= e^z \sin z + e^z \cos z - \int e^z \cos z\, dz$$

L'intégrale cherchée apparaît des deux cotés. Nous l'isolons. Alors

$$2\int e^z \cos z\, dz = e^z \sin z + e^z \cos z + C_1$$

$$\int e^z \cos z\, dz = \frac{1}{2}e^z(\sin z + \cos z) + C\,.$$

Nous exprimons maintenant ce résultat en termes de la variable initiale x. Nous trouvons

$$\int \cos(\ln x)\, dx = \frac{1}{2}x\big[\sin(\ln x) + \cos(\ln x)\big] + C\,.$$

c) $\int_0^{\pi^2} \sin \sqrt{x}\, dx$

Posons $z = \sqrt{x}$. Alors $x = z^2$ et $dx = 2z\, dz$. Si $x = 0$ alors $z = 0$, si $x = \pi^2$ alors $z = \pi$.
Nous obtenons donc

$$\int_0^{\pi^2} \sin\sqrt{x}\,dx = 2\int_0^{\pi} z\sin z\,dz \ .$$

Lorsqu'il y a changement de variable, ne pas oublier de changer aussi les bornes d'intégration dans le calcul de l'intégrale définie.

Nous évaluons $\int_0^{\pi} z\sin z\,dz$ en utilisant la formule d'intégration par parties d'une intégrale définie. Posons

$u(z) = z \qquad\qquad v'(z) = \sin z$

$u'(z) = 1 \qquad\qquad v(z) = -\cos z \ .$

Alors

$$\int_0^{\pi^2} z\sin z\,dz = -z\cos z\Big|_0^{\pi} + \int_0^{\pi}\cos z\,dz = \pi + \sin z\Big|_0^{\pi} = \pi \ .$$

Donc

$$\int_0^{\pi^2} \sin\sqrt{x}\,dx = 2\int_0^{\pi} z\sin z\,dz = 2\pi \ .$$

REMARQUE

Dans le calcul d'une intégrale définie, nous ne revenons jamais à la variable initiale. La réponse est toujours obtenue directement.

d) $\int_0^1 \arcsin x\,dx$

Posons $z = \arcsin x$.

Alors $x = \sin z$ et $dx = \cos z\,dz$.

Si $x = 0$ alors $z = 0$, si $x = 1$ alors $z = \dfrac{\pi}{2}$.

Nous obtenons donc

$$\int_0^1 \arcsin x\,dx = \int_0^{\pi/2} z\sin z\,dz$$

Par la formule d'intégration par parties de l'intégrale définie, nous avons

$$\int_0^{\pi/2} \underbrace{z}_{u(z)} \underbrace{\cos z \, dz}_{v'(z)dz} = z \sin z \Big|_0^{\pi/2} - \int_0^{\pi/2} \sin z \, dz = \frac{\pi}{2} + \cos z \Big|_0^{\pi/2} = \frac{\pi}{2} - 1$$

 REMARQUE   À partir des quatre exemples précédents, nous pouvons déduire deux types de changements de variable.

1er type. Si l'intégrande peut s'écrire sous la forme $f\big(g(x)\big) \times g'(x)$, nous posons $z = g(x)$ et $dz = g'(x)dx$. Dans l'exemple 16 a, l'intégrande était

$$x^5 e^{2x^2} = \frac{\left(x^2\right)^2 e^{2x^2}}{2} 2x$$

$$= \frac{\big[g(x)\big]^2 e^{2g(x)}}{2} g'(x) = f\big(g(x)\big) \times g'(x)$$

Nous avons posé

$z = g(x) = x^2$ et $dz = g'(x)dx = 2x\,dx$.

2e type. Si l'intégrande ne peut s'écrire que sous la forme $f\big(g(x)\big)$ (sans le produit par $g'(x)$), nous posons alors

$z = g(x)$ et nous avons $x = g^{-1}(z)$ (g^{-1} étant la fonction réciproque) et $dx = \dfrac{dg^{-1}}{dz} dz$.

Dans l'exemple 16 b l'intégrande était
$\cos(\ln x) = \cos\big(g(x)\big) = f\big(g(x)\big)$, nous avons posé

$z = g(x) = \ln x$ et nous avons trouvé $x = g^{-1}(z) = e^z$

et $dx = e^z dz$.

Les exemples 16 c et 16 d sont aussi du 2e type.

RÉPONSE

$a)$ $\displaystyle\int x^5 e^{2x^2} dx = \frac{1}{4} x^4 e^{2x^2} - \frac{1}{4} x^2 e^{2x^2} + \frac{1}{8} e^{2x^2} + C$

$b)$ $\displaystyle\int \cos(\ln x) dx = \frac{1}{2} x\big[\sin(\ln x) + \cos(\ln x)\big] + C$

c) $\int_0^{\pi^2} \sin\sqrt{x}\, dx = 2\pi$

d) $\int_0^1 \arcsin x\, dx = \dfrac{\pi}{2} - 1$

16. Trouver la formule de réduction pour l'intégrale

$$I_n = \int x^n e^{-x} dx$$

et en utilisant celle-ci, calculer $\int x^5 e^{-x} dx$.

SOLUTION

Posons

$$u = x^n \qquad\qquad dv = e^{-x} dx$$
$$du = n\, x^{n-1} dx \qquad v = -e^{-x} .$$

Par la formule d'intégration par parties, nous obtenons

$$\int x^n e^{-x} dx = -x^n e^{-x} + n \int x^{n-1} e^{-x} dx$$

donc

$$I_n = -x^n e^{-x} + n\, I_{n-1} .$$

C'est la formule de réduction.

Pour calculer l'intégrale $\int x^5 e^{-x} dx$, nous appliquons cette formule cinq fois. Nous trouvons

$$\int x^5 e^{-x} dx = I_5 = -x^5 e^{-x} + 5I_4 = -x^5 e^{-x} + 5\left(-x^4 e^{-x} + 4I_3\right)$$

$$= \ldots = -x^5 e^{-x} - 5x^4 e^{-x} - 20x^3 e^{-x} - 60x^2 e^{-x}$$

$$-120x e^{-x} - 120 e^{-x} + C .$$

RÉPONSE

$$I_n = -x^n e^{-x} + nI_{n-1}$$

$$\int x^5 e^{-x} dx = -e^{-x}\left(x^5 + 5x^4 + 20x^3 + 60x^4 + 120x + 120\right) + C$$

INTÉGRATION DES FONCTIONS TRIGONOMÉTRIQUES

Exercices

18. Calculer

$$\int \sin^4 x \, dx$$

a) **par la technique d'intégration par parties**

b) **à l'aide de l'identité trigonométrique**

$$\cos 2\alpha = \cos^2 \alpha - \sin^2 \alpha$$

c) **à l'aide de la formule de réduction**

$$\int \sin^n x \, dx = -\frac{1}{n} \sin^{n-1} x \cos x + \frac{n+1}{n} \int \sin^{n-2} x \, dx$$

SOLUTION ET RÉPONSE

a) $\quad \displaystyle\int \sin^4 x \, dx = \int \underbrace{\sin^3 x}_{u} \underbrace{\sin x \, dx}_{dv}$

Nous posons

$$u = \sin^3 x \qquad\qquad dv = \sin x \, dx$$

$$du = 3\sin^2 x \cos x \, dx \qquad v = -\cos x \,.$$

Alors

$$\int \sin^4 x \, dx = -\sin^3 x \cos x + 3\int \sin^2 x \cos^2 dx$$

$$= -\sin^3 x \cos x + 3\int \sin^2 x \left(1 - \sin^2 x\right) dx$$

$$= -\sin^3 x \cos x + 3\int \sin^2 x \, dx - 3\int \sin^4 x \, dx \,.$$

Nous calculons l'intégrale $\int \sin^2 x \, dx$ par la technique d'intégration par parties.

$$\int \sin^2 x \, dx = \int \underbrace{\sin x}_{u} \underbrace{\sin x \, dx}_{dv} = -\sin x \cos x + \int \cos^2 x \, dx$$

$$= -\sin x \cos x + \int \left(1 - \sin^2 x\right) dx$$

$$= -\sin x \cos x + \int dx - \int \sin^2 s\, dx$$

$$= -\sin x \cos x + x - \int \sin^2 x\, dx$$

L'intégrale cherchée apparaît des deux cotés de l'égalité. En l'isolant, nous obtenons

$$\int \sin^2 x\, dx = -\frac{1}{2} \sin x \cos x + \frac{1}{2} x + C_1 \, .$$

Alors

$$\int \sin^4 x\, dx$$

$$= -\sin^3 x \cos x - \frac{3}{2} \sin x \cos x + \frac{3}{2} x + 3C_1 - 3\int \sin^4 x\, dx \, .$$

En isolant l'intégrale $\int \sin^4 x\, dx$, nous obtenons

$$\int \sin^4 x\, dx = -\frac{1}{4} \sin 3x \cos x - \frac{3}{8} \sin x \cos x + \frac{3}{8} x + C \, .$$

b)   À partir des identités trigonométriques

$$\cos 2\alpha = \cos^2 \alpha - \sin^2 \alpha \ \text{ et } \ \sin^2 \alpha + \cos^2 \alpha = 1 \, ,$$

nous pouvons facilement montrer que

$$\sin^2 \alpha = \frac{1 - \cos^2 \alpha}{2} \ \text{ et } \ \cos^2 \alpha = \frac{1 + \cos 2\alpha}{2} \, .$$

Ainsi

$$\sin^4 x = \left(\sin^2 x\right)^2 = \left(\frac{1 - \cos 2x}{2}\right)^2 = \frac{1 - 2\cos 2x + \cos^2 2x}{4}$$

$$= \frac{1 - 2\cos 2x + \dfrac{1 + \cos 4x}{2}}{4} = \frac{3}{8} - \frac{1}{2}\cos 2x + \frac{1}{8}\cos 4x \, .$$

Alors

$$\int \sin^4 x\, dx = \int \left(\frac{3}{8} - \frac{1}{2}\cos 2x + \frac{1}{8}\cos 4x\right) dx$$

$$= \frac{3}{8} x - \frac{1}{4}\sin 2x + \frac{1}{32}\sin 4x + C \, .$$

REMARQUE   Le résultat obtenu en *b*) ne diffère pas de celui en *a*) car
$\sin 2x = 2 \sin x \cos x$ et

$\sin 4x = 4 \sin x \cos x - 8 \sin^3 x \cos x$.

c)   Nous appliquons la formule de réduction deux fois. La première
fois avec $n = 4$ et la seconde avec $n = 2$. Ainsi

$$\int \sin^4 x \, dx = -\frac{1}{4} \sin^3 x \cos x + \frac{3}{4} \int \sin^2 x \, dx$$

$$= -\frac{1}{4} \sin^3 x \cos x + \frac{3}{4} \left[-\frac{1}{2} \sin x \cos x + \frac{1}{2} \int dx \right]$$

$$= -\frac{1}{4} \sin^3 x \cos x - \frac{3}{8} \sin x \cos x + \frac{3}{8} x + C .$$

19. Évaluer

a) $\int \sin^7 x \cos^4 x \, dx$

b) $\int \sin^2 x \cos^4 x \, dx$

c) $\int \sin 5x \cos 2x \, dx$

SOLUTION

REMARQUE   Pour évaluer l'intégrale $\int \sin^n x \cos^m x \, dx$ où *n* et *m* sont

deux entiers positifs, nous pouvons procéder comme suit :
1. si *n* impair, nous posons $z = \cos x$
2. si *m* impair, nous posons $z = \sin x$
3. si *n* et *m* pairs, nous appliquons une formule de réduction,
    ou bien nous réduisons les exposantes de $\sin x$ et $\cos x$ à
    l'aide des identités trigonométriques ci-dessous :

$$\sin^2 \alpha = \frac{1 - \cos 2\alpha}{2} \quad \text{et} \quad \cos^2 \alpha = \frac{1 + \cos 2\alpha}{2} .$$

a) $\int \sin^7 x \cos^4 x \, dx$

Ici $n = 7$, donc impair. Nous posons $z = \cos x$ et
$dz = -\sin x\, dx$.

Maintenant nous transformons l'intégrande sous la forme
$f(z) \times z' = f(\cos x) \times (-\sin x)$.

Nous trouvons

$$\sin^7 x \cos^4 x = -\left(\sin^2 x\right)^3 \cos^4 x(-\sin x)$$

$$= -\left(1 - \cos^2 x\right)^3 \cos^4 x(-\sin x).$$

Donc

$$\int \sin^7 x \cos^4 x\, dx = -\int \left(1 - z^2\right)^3 z^4 dz$$

$$= \int \left(1 - 3z^2 + 3z^4 - z^6\right) z^4 dz$$

$$= -\int z^4 dz + 3\int z^6 dz - 3\int z^8 dz + \int z^{10} dz$$

$$= -\frac{1}{5} z^5 + \frac{3}{7} z^7 - \frac{1}{3} z^9 + \frac{1}{11} z^{11} + C$$

$$= -\frac{1}{5} \cos^5 x + \frac{3}{7} \cos^7 x - \frac{1}{3} \cos^9 x + \frac{1}{11} \cos^{11} x + C.$$

b) $\int \sin^2 x \cos^4 x\, dx$

Ici, les exposants n et m sont pairs. À partir de l'identité trigonométrique $\sin^2 x = 1 - \cos^2 x$ nous obtenons
$$\int \sin^2 x \cos^4 x\, dx = \int \left(1 - \cos^2 x\right) \cos^4 x\, dx$$

$$= \int \cos^4 x\, dx - \int \cos^6 x\, dx.$$

REMARQUE

Pour faciliter le calcul, nous écrivons toujours la fonction trigonométrique ayant le plus petit exposant en termes de l'autre
fonction trigonométrique apparaissant dans l'intégrande.
Dans cet exemple, si nous avions transformé le cosinus en
utilisant l'identité $\cos^2 x = 1 - \sin^2 x$, nous aurions trouvé

$$\int \sin^2 x \cos^4 x\, dx = \int \sin^2 x \left(1 - \sin^2 x\right)^2 dx$$

$$= \int \sin^2 x\, dx - 2\int \sin^4 x\, dx + \int \sin^6 x\, dx$$

Cette intégrale est beaucoup plus longue à résoudre.

Pour évaluer les intégrales $\int \cos^4 x \, dx$ et $\int \cos^6 x \, dx$, nous utilisons la formule de réduction suivante :
$$\int \cos^n x \, dx = \frac{1}{n} \cos^{n-1} x \sin x + \frac{n-1}{n} \int \cos^{n-2} x \, dx \, .$$

Pour $n = 4$, nous appliquons deux fois cette formule.

$$\int \cos^4 x \, dx = \frac{1}{4} \cos^3 x \sin x + \frac{3}{4} \int \cos^2 x$$

$$= \frac{1}{4} \cos^3 x \sin x + \frac{3}{4} \left(\frac{1}{2} \cos x \sin x + \frac{1}{2} \int dx \right)$$

$$= \frac{1}{4} \cos^3 x \sin x + \frac{3}{8} \cos x \sin x + \frac{3}{8} x + C_1$$

Pour $n = 6$, nous obtenons

$$\int \cos^6 x \, dx = \frac{1}{6} \cos^5 x \sin x + \frac{5}{6} \int \cos^4 x \, dx$$

$$= \frac{1}{6} \cos^3 x \sin x + \frac{5}{24} \cos^3 x \sin x + \frac{5}{16} \cos x \sin x + \frac{5}{16} x + C_2 \, .$$

Alors

$$\int \sin^2 x \cos^4 x \, dx$$

$$= -\frac{1}{6} \cos^5 x \sin x + \frac{1}{24} \cos^3 x \sin x + \frac{1}{16} \cos x \sin x + \frac{1}{16} x + C \, .$$

c) $\quad \int \sin 5x \cos 2x \, dx$

 REMARQUE   Les intégrales de la forme $\int \sin nx \cos mx \, dx$,

$\int \sin nx \sin mx \, dx$ et $\int \cos nx \cos mx \, dx$ peuvent être évaluées à l'aide des identités trigonométriques suivantes :
$$\sin \alpha + \sin \beta = 2 \sin \frac{\alpha + \beta}{2} \cos \frac{\alpha - \beta}{2} \, ,$$
$$\cos \alpha + \cos \beta = 2 \cos \frac{\alpha + \beta}{2} \cos \frac{\alpha - \beta}{2}$$

$$\cos\alpha - \cos\beta = -2\sin\frac{\alpha+\beta}{2}\sin\frac{\alpha-\beta}{2}$$

Ces identités permettent de transformer les intégrandes en une somme de fonctions trigonométriques facile à intégrer.

Posons $\dfrac{\alpha+\beta}{2} = 5x$ et $\dfrac{\alpha-\beta}{2} = 2x$, c'est-à-dire $\alpha = 7x$ et

$\beta = 3x$, dans l'identité $\sin\alpha + \sin\beta = 2\sin\dfrac{\alpha+\beta}{2}\cos\dfrac{\alpha-\beta}{2}$.

Alors

$$\frac{\sin 7x + \sin 3x}{2} = \sin 5x \cos 2x$$

et

$$\int \sin 5x \cos 2x \, dx = \frac{1}{2}\left(\int \sin 7x \, dx + \int \sin 3x \, dx\right)$$

$$= -\frac{1}{14}\cos 7x - \frac{1}{6}\cos 3x + C.$$

3 INTÉGRATION PAR FRACTIONS PARTIELLES

- **FRACTIONS PARTIELLES :** Nous appelons fractions partielles les expressions algébriques de la forme

$$\frac{A}{(ax+b)^k} \quad \text{ou} \quad \frac{Ax+B}{\left(ax^2+bx+c\right)^k}$$

où le trinôme ax^2+bx+c est indécomposable (son discriminant est négatif) et $k \in \{1, 2, \ldots\}$.

- **FONCTIONS RATIONELLES :** Ce sont des fonctions de la forme

$$\frac{P(x)}{Q(x)} \quad \text{où } P(x) \text{ et } Q(x) \text{ sont des polynômes entiers en } x.$$

- **THÉORÈME**

Chaque fonction rationnelle dont le dégré du numérateur est inférieur à celui du dénominateur peut être décomposée en une somme de fractions partielles. C'est-à-dire

$$\frac{P(x)}{Q(x)} = F_1(x) + F_2(x) + \ldots + F_n(x)$$

où $F_1(x)$, $F_2(x)$, ..., $F_n(x)$ sont des fractions partielles.

- **RÈGLE DES FACTEURS LINÉAIRES**

Si $(ax+b)^m$ est un facteur du dénominateur, alors la décomposition de la fonction rationnelle comprend la somme des m fractions partielles suivantes :

$$\frac{A_1}{ax+b} + \frac{A_2}{(ax+b)^2} + \ldots + \frac{A_m}{(ax+b)^m}$$

où A_1, A_2, ..., A_m sont des constantes réelles.

- **RÈGLE DES FACTEURS QUADRATIQUES**

  Si $\left(ax^2 + bx + c\right)^p$ est un facteur du dénominateur, alors la décomposition de la fonction rationnelle comprend la somme des p fractions partielles suivantes :

  $$\frac{A_1 x + B_1}{\left(ax^2 + bx + c\right)} + \frac{A_2 x + B_2}{\left(ax^2 + bx + c\right)^2} + \ldots + \frac{A_p x + B_p}{\left(ax^2 + bx + c\right)^p}$$

  où A_1, B_1, A_2, B_2, ..., A_p, B_p sont des constantes réelles.

Exercices

20. **Associer à chaque fonction rationnelle sa décomposition en somme de fractions partielles.**

$a)$ $f(x) = \dfrac{1}{x(2x + 5)}$

$b)$ $f(x) = \dfrac{1}{x(2x + 5)^2}$

$c)$ $f(x) = \dfrac{x^3 + 2}{x(2x + 5)^2}$

$d)$ $f(x) = \dfrac{1}{x\left(2x^2 + 5\right)}$

$e)$ $f(x) = \dfrac{1}{x^2\left(2x^2 + 5\right)^2}$

$f)$ $f(x) = \dfrac{x^7 - 1}{x^2(2x + 5)^2}$

1. $\dfrac{A}{x} + \dfrac{B}{(2x + 5)^2}$

2. $\dfrac{A}{x} + \dfrac{B}{x^2} + \dfrac{Cx + D}{2x^2 + 5} + \dfrac{Ex + F}{\left(2x^2 + 5\right)^2}$

3. $\dfrac{A}{x} + \dfrac{Bx + C}{(2x + 5)^2}$

4. $\dfrac{A}{x} + \dfrac{B}{2x + 5}$

5. $\dfrac{A}{x} + \dfrac{Bx + C}{2x^2 + 5}$

6. $\dfrac{A}{x} + \dfrac{B}{2x + 5} + \dfrac{Cx + D}{(2x + 5)^2}$

7. $\dfrac{A}{x} + \dfrac{B}{2x + 5} + \dfrac{C}{(2x + 5)^2}$

SOLUTION

 REMARQUE   La décomposition en fractions partielles ne s'applique qu'à des fonctions rationnelles où le degré du numérateur est inférieur au degré du dénominateur; celles-ci sont appelées fonctions rationnelles propres. Pour les fonctions rationnelles où le degré du numérateur est supérieur à celui du dénominateur (appelées fonctions rationnelles impropres), nous n'appliquons pas la décomposition en fractions partielles directement. Il faut d'abord effectuer la division.

RÉPONSE

a) et 4 b) et 7

c) aucune (f est la fonction rationnelle impropre)

d) et 5 e) et 2

f) aucune (f est la fonction rationnelle impropre)

21. Décomposer chaque fonction rationnelle f suivante en une somme de fractions partielles et calculer $\int f(x)\,dx$.

a) $f(x) = \dfrac{5x^2 - 11x}{(x-1)(x+2)(5-x)}$

b) $f(x) = \dfrac{2x^4 - 2x^3 + 3x^2 - 7x + 1}{x^3 - 2x^2 + x - 2}$

SOLUTION

a) $f(x) = \dfrac{5x^2 - 11x}{(x-1)(x+2)(5-x)}$

D'après la règle des facteurs linéaires, nous pouvons écrire

$$\dfrac{5x^2 - 11x}{(x-1)(x+2)(5-x)} = \dfrac{A}{x-1} + \dfrac{B}{x+2} + \dfrac{C}{5-x} .$$

En multipliant chaque membre de cette égalité par le dénominateur commun, nous obtenons

$$5x^2 - 11x = A(x+2)(5-x) + B(x-1)(5-x) + C(x-1)(x+2) .$$

Pour $x = 1$, nous avons : $-6 = 12A$. Donc $A = -\dfrac{1}{2}$.

Pour $x = -2$, nous avons : $42 = -21B$. Donc $B = -2$.

Pour $x = 5$, nous avons : $70 = 28C$. Donc $C = \dfrac{5}{2}$.

Ainsi, l'intégrande peut s'écrire

$$\frac{5x^2 - 11x}{(x-1)(x+2)(5-x)} = \frac{-\frac{1}{2}}{x-1} - \frac{2}{x+2} + \frac{\frac{5}{2}}{5-x}.$$

Alors

$$\int \frac{5x^2 - 11x}{(x-1)(x+2)(5-x)}\,dx = -\frac{1}{2}\int \frac{dx}{x-1} - 2\int \frac{dx}{x+2} + \frac{5}{2}\int \frac{dx}{5-x}$$

$$= -\frac{1}{2}\ln|x-1| - 2\ln|x+2| - \frac{5}{2}\ln|5-x| + C.$$

$b)$ $\quad f(x) = \dfrac{2x^4 - 2x^3 + 3x^2 - 7x + 1}{x^3 - 2x^2 + x - 2}$

Dans ce cas, le dégré du numérateur étant supérieur à celui du dénominateur, nous effectuerons d'abord la division.

$$
\begin{array}{r|l}
2x^4 - 2x^3 + 3x^2 - 7x + 1 & \;x^3 - 2x^2 + x - 2 \\ \cline{2-2}
\underline{2x^4 - 4x^3 + 2x^2 - 4x} & \;2x + 2 \\
2x^3 + x^2 - 3x + 1 & \\
\underline{2x^3 - 4x^2 + 2x - 4} & \\
5x^2 - 5x + 5 &
\end{array}
$$

Donc

$$\frac{2x^4 - 2x^3 + 3x^2 - 7x + 1}{x^3 - 2x^2 + x - 2} = 2x + 2 + \frac{5x^2 - 5x + 5}{x^3 - 2x^2 + x - 2}$$

et

$$\int \frac{2x^4 - 2x^3 + 3x^2 - 7x + 1}{x^3 - 2x^2 + x - 2}\,dx$$

$$= 2\int x\,dx + 2\int dx + \int \frac{5x^2 - 5x + 5}{x^3 - 2x^2 + x - 2}\,dx.$$

La dernière intégrale peut être évaluée à l'aide d'une décomposition en fractions partielles. D'abord, nous factorisons le dénominateur en faisant une double mise en évidence :

$$x^3 - 2x^2 + x - 2 = x^2(x-2) + 1(x-2) = (x-2)(x^2+1).$$

D'après la règle des facteurs quadratiques, le facteur (x^2+1) introduit le terme $\dfrac{Ax+B}{x^2+1}$ dans la décomposition et d'après la règle des facteurs linéaires, le facteur $(x-2)$ introduit le terme $\dfrac{C}{x-2}$ dans la décomposition. Ainsi, l'intégrande peut s'écrire

$$\frac{5x^2 - 5x + 5}{x^3 - 2x^2 + x - 2} = \frac{Ax+B}{x^2+1} + \frac{C}{x-2}.$$

En multipliant chaque membre de cette identité par le dénominateur commun, soit $(x-2)(x^2+1)$, puis en regroupant les termes semblables, nous obtenons

$$5x^2 - 5x + 5 = (A+C)x^2 + (B-2A)x + C - 2B.$$

En mettant égaux les coefficients de même puissance, nous trouvons

$$\begin{cases} A + C = 5 \\ -2A + B = -5 \\ -2B + C = 5 \end{cases}.$$

Ce système admet une solution unique, soit $A = 2$, $B = -1$, $C = 3$.

Ainsi,

$$\frac{5x^2 - 5x + 5}{x^3 - 2x^2 + x - 2} = \frac{2x-1}{x^2+1} + \frac{3}{x-2}$$

et

$$\int \frac{5x^2 - 5x + 5}{x^3 - 2x^2 + x - 2}\,dx = \int \frac{2x-1}{x^2+1}\,dx + \int \frac{dx}{x-2}$$

$$= \int \frac{2x\,dx}{x^2+1} - \int \frac{dx}{x^2+1} + 3\int \frac{dx}{x-2}$$

$$= \ln(x^2+1) - \arctan x + 3\ln|x-2| + C.$$

Finalement

$$\int \frac{2x^4 - 2x^3 + 3x^2 - 7x + 1}{x^3 - 2x^2 + x - 2}\, dx$$

$$= 2\int x\, dx + 2\int dx + \int \frac{5x^2 - 5x + 5}{x^3 - 2x^2 + x - 2}\, dx$$

$$= x^2 + 2x + \ln\!\left(x^2 + 1\right) - \arctan x + 3\ln|x - 2| + C\,.$$

RÉPONSE

$a)$ $\quad \dfrac{5x^2 - 11x}{(x-1)(x+2)(5-x)} = \dfrac{-\frac{1}{2}}{x-1} - \dfrac{2}{x+2} + \dfrac{\frac{5}{2}}{5-x}$

$$\int \frac{5x^2 - 11x}{(x-1)(x+2)(5-x)}\, dx$$

$$= -\frac{1}{2}\ln|x-1| - 2\ln|x+2| - \frac{5}{2}\ln|5-x| + C$$

$b)$ $\quad \dfrac{2x^4 - 2x^3 + 3x^2 - 7x + 1}{x^3 - 2x^2 + x - 2} = 2x + 2 + \dfrac{2x-1}{x^2+1} + \dfrac{3}{x-2}$

$$\int \frac{2x^4 - 2x^3 + 3x^2 - 7x + 1}{x^3 - 2x^2 + x - 2}\, dx$$

$$= x^2 + 2x + \ln\!\left(x^2 + 1\right) - \arctan x + 3\ln|x - 2| + C$$

4 INTÉGRATION PAR SUBSTITU-
TIONS TRIGONOMÉTRIQUES

- Si l'intégrande est une expression rationnelle en $\sin x$ et $\cos x$, le changement de variable $z = \tan \dfrac{x}{2}$ permet de la transformer en une fonction rationnelle en z.

  Pour $x \in\ ]-\pi, \pi[$, nous avons

  $$x = 2\arctan z \quad \text{et} \quad dx = \frac{2dz}{1+z^2}.$$

  Pour transformer l'intégrande, nous utilisons les identités trigonométriques ci-dessous :

  $$\sin x = \frac{2\tan\dfrac{x}{2}}{1+\tan^2\dfrac{x}{2}} \quad \text{et} \quad \cos x = \frac{1-\tan^2\dfrac{x}{2}}{1+\tan^2\dfrac{x}{2}}.$$

- Pour évaluer une intégrale contenant une des expressions suivantes : $\sqrt{a^2 - x^2}$, $\sqrt{x^2 - a^2}$, $\sqrt{a^2 + x^2}$

  nous posons

  $$x = a\sin z \quad \left(z \in \left[-\frac{\pi}{2}, \frac{\pi}{2}\right]\right) \text{ dans le premier cas,}$$

  $$x = a\sec z \quad \left(z \in \left[-\pi, -\frac{\pi}{2}\right[\cup \left[0, \frac{\pi}{2}\right[\right) \text{ dans le deuxième}$$

  cas,

  $$x = a\tan z \quad \left(z \in\ \left]-\frac{\pi}{2}, \frac{\pi}{2}\right[\right) \text{ dans le dernier cas.}$$

- Voici quelques identités trigonométriques pouvant être utiles dans cette section :

  $$\sin x \cos x = \frac{\sin 2x}{2}, \quad \cos^2 x = \frac{1+\cos 2x}{2},$$

$$\sin^2 x = \frac{1 - \cos 2x}{2}.$$

Exercices

22. Évaluer

$a)$ $\displaystyle\int \frac{dx}{3 + 5\sin x}$

$b)$ $\displaystyle\int_0^{\pi/2} \frac{\sin x\, dx}{\sin x + \cos x}$

SOLUTION

$a)$ $\displaystyle\int \frac{dx}{3 + 5\sin x}$

L'intégrande $f(x) = \dfrac{1}{3 + 5\sin x}$ est une expression rationnelle

en $\sin x$. Si nous posons $z = \tan\dfrac{x}{2}$ pour $x \in\,]-\pi, \pi[$, alors

$\sin x = \dfrac{2z}{1 + z^2}$ et $dx = \dfrac{2dz}{1 + z^2}$.

Nous obtenons alors

$$\int \frac{dx}{3 + 5\sin x} = \int \frac{\dfrac{2dz}{1 + z^2}}{3 + 5\dfrac{2z}{1 + z^2}} = \int \frac{2dz}{3z^2 + 10z + 3}.$$

Cette dernière intégrale peut être évaluée par la décomposition en somme de fractions partielles. Nous trouvons

$$\frac{2}{3z^2 + 10z + 3} = \frac{3/4}{3z + 1} - \frac{1/4}{z + 3}.$$

Alors

$$\int \frac{2dz}{3z^2 + 10z + 3} = \frac{1}{4}\int \frac{3dz}{3z + 1} - \frac{1}{4}\int \frac{dz}{z + 3}$$

$$= \frac{1}{4}\ln|3z+1| - \frac{1}{4}\ln|z+3| + C = \frac{1}{4}\ln\left|\frac{3z+1}{z+3}\right| + C$$

$$= \frac{1}{4}\ln\left|\frac{3\tan\dfrac{x}{2}+1}{\tan\dfrac{x}{2}+3}\right| + C \ .$$

b) $\displaystyle\int_0^{\pi/2} \frac{\sin x\, dx}{\sin x + \cos x}$

L'intégrande $f(x) = \dfrac{\sin x}{\sin x + \cos x}$ est une expression ration-

nelle en $\sin x$ et $\cos x$, nous posons donc $z = \tan\dfrac{x}{2}$. Alors

$$\sin x = \frac{2z}{1+z^2} \ , \quad \cos x = \frac{1-z^2}{1+z^2} \quad \text{et} \quad dx = \frac{2dz}{1+z^2} \ .$$

Si $x = 0$, alors $z = 0$, si $x = \dfrac{\pi}{2}$, alors $z = 1$.

Nous obtenons

$$\int_0^{\pi/2} \frac{\sin x\, dx}{\sin x + \cos x} = \int_0^1 \frac{\dfrac{2z}{1+z^2}\ \dfrac{2dz}{1+z^2}}{\dfrac{2z}{1+z^2}\ \dfrac{1-z^2}{1+z^2}} = \int_0^1 \frac{4z\, dz}{\left(-z^2+2z+1\right)\left(1+z^2\right)} \ .$$

Nous pouvons appliquer la substitution trigonométrique

$z = \tan\dfrac{x}{2}$ $\left(x \in\ ]\pi,\pi[\right)$ pour évaluer une intégrale définie à

la condition que l'intervalle d'intégration $[a,\ b]$ soit inclus

dans l'intervalle $]\text{-}\pi,\pi[$.

La dernière intégrale peut être évaluée par la décomposition en somme de fractions partielles. Ainsi, la forme factorielle du dénominateur étant

$$\left(-z^2+2z+1\right)\left(1+z^2\right) = \left(z-1+\sqrt{2}\right)\left(1+\sqrt{2}-z\right)\left(1+z^2\right),$$

la décomposition sera

$$\frac{4z}{\left(-z^2 + 2z + 1\right)\left(1 + z^2\right)} = \frac{A}{z - 1 + \sqrt{2}} + \frac{B}{1 + \sqrt{2} - z} + \frac{Cz + D}{1 + z^2}$$

d'où

$$4z = A\left(1 + \sqrt{2} - z\right)\left(1 + z^2\right) + B\left(z - 1 + \sqrt{2}\right)\left(1 + z^2\right)$$

$$+ (Cz + D)\left(-z^2 + 2z + 1\right).$$

Pour trouver les coeffitients A et B, nous posons

$$z = 1 - \sqrt{2} \text{ , alors } 4\left(1 - \sqrt{2}\right) = 2\sqrt{2}\left[1 + \left(1 - \sqrt{2}\right)^2\right]A$$

$$z = 1 + \sqrt{2} \text{ , alors } 4\left(1 + \sqrt{2}\right) = 2\sqrt{2}\left[1 + \left(1 + \sqrt{2}\right)^2\right]B.$$

D'où $A = -\dfrac{1}{2}$ et $B = \dfrac{1}{2}$.

En substituant ces valeurs dans l'identité, nous obtenons

$$4z = -\frac{1}{2}\left(1 + \sqrt{2} - z\right)\left(1 + z^2\right) + \frac{1}{2}\left(z - 1 + \sqrt{2}\right)\left(1 + z^2\right)$$

$$+ (Cz + D)\left(-z^2 + 2z + 1\right).$$

Pour trouver les coefficients C et D nous regroupons les termes semblables :

$$4z = (1 - C)z^3 + (2C - D - 1)z^2 + (1 + C + 2D)z + D - 1.$$

En rendant égaux les coefficients de même puissance, nous trouvons $C = 1$ et $D = 1$.

Enfin

$$\int_0^{\pi/2} \frac{\sin x\, dx}{\sin x + \cos x} = \int_0^1 \frac{4z\, dz}{\left(-z^2 + 2z + 1\right)\left(1 + z^2\right)}$$

$$= -\frac{1}{2}\int_0^1 \frac{dz}{z - 1 + \sqrt{2}} + \frac{1}{2}\int_0^1 \frac{dz}{1 + \sqrt{2} - z} + \int_0^1 \frac{z + 1}{1 + z^2}\, dz$$

$$= -\frac{1}{2}\ln\left|z - 1 + \sqrt{2}\right|\Big\|_0^1 - \frac{1}{2}\ln\left|1 + \sqrt{2} - z\right|\Big\|_0^1$$

$$+ \frac{1}{2}\ln\left|1 + z^2\right|\Big\|_0^1 + \arctan z\Big\|_0^1$$

$$= -\frac{1}{2}\ln\sqrt{2} + \frac{1}{2}\ln\left(\sqrt{2}-1\right) - \frac{1}{2}\ln\sqrt{2} + \frac{1}{2}\ln\left(1+\sqrt{2}\right)$$

$$+ \frac{1}{2}\ln 2 - \frac{1}{2}\ln 1 + \arctan 1 - \arctan 0 = \frac{\pi}{4}.$$

RÉPONSE

$a)$ $\displaystyle\int \frac{dx}{3+5\sin x} = \frac{1}{4}\ln\left|\frac{3\tan\dfrac{x}{2}+1}{\tan\dfrac{x}{2}+3}\right| + C$

$b)$ $\displaystyle\int_0^{\pi/2} \frac{\sin x\, dx}{\sin x + \cos x} = \frac{\pi}{2}$

23. Sans intégrer, appliquer les changements de variable

$a)$ $\quad z = \tan\dfrac{x}{2} \quad \left(x \in \left]-\pi, \pi\right[\right)$

$b)$ $\quad z = \tan x \quad \left(x \in \left]-\dfrac{\pi}{2}, \dfrac{\pi}{2}\right[\right)$

à l'intégrale $\displaystyle\int \frac{dx}{3+\sin^2 x}$.

SOLUTION ET RÉPONSE

$a)$ Soit $z = \tan\dfrac{x}{2}$ $\left(x \in \left]-\pi, \pi\right[\right)$. Alors

$$\sin x = \frac{2z}{1+z^2} \quad \text{et} \quad dx = \frac{2dz}{1+z^2}.$$

L'intégrale devient donc

$$\int \frac{dx}{3+\sin^2 x} = \int \frac{\dfrac{2dz}{1+z^2}}{3+\left(\dfrac{2z}{1+z^2}\right)^2} = 2\int \frac{\left(1+z^2\right)dz}{3z^4+10z^2+3}.$$

$b)$ Soit $z = \tan x$ $\left(x \in \left]-\dfrac{\pi}{2}, \dfrac{\pi}{2}\right[\right)$, donc

$$x = \arctan z \quad \text{et} \quad dx = \frac{dz}{1+z^2}.$$

Mais

$$\sin^2 x = \frac{\sin^2 x}{1} = \frac{\sin^2 x}{\sin^2 x + \cos^2 x} = \frac{\dfrac{\sin^2 x}{\cos^2 x}}{\dfrac{\sin^2 x + \cos^2 x}{\cos^2 x}}$$

$$= \frac{\tan^2 x}{\tan^2 x + 1} = \frac{z^2}{z^2 + 1} \; .$$

L'intégrale devient donc

$$\int \frac{dx}{3 + \sin^2 x} = \int \frac{\dfrac{dz}{1 + z^2}}{3 + \dfrac{z^2}{1 + z^2}} = \int \frac{dz}{3 + 4z^2} \; .$$

REMARQUE   Si l'intégrande est une expression rationnelle en $\sin^2 x$,
$\cos^2 x$ ou $\sin x \cos x$, le changement de variable
$z = \tan x$ donne, généralement, une fonction rationnelle plus
facile pour intégrer.
Les identités trigonométriques

$$\sin^2 x = \frac{\tan^2 x}{\tan^2 x + 1} = \frac{z^2}{z^2 + 1} \; ,$$

$$\cos^2 x = \frac{1}{\tan^2 x + 1} = \frac{1}{z^2 + 1} \; ,$$

$$\sin x \cos x = \frac{\tan x}{\tan^2 x + 1} = \frac{z}{z^2 + 1}$$

permettent de transformer l'intégrande en quotient de polynô-
mes en z.

---

24. **Évaluer les intégrales ci-dessous à l'aide d'une des substitu-**
    tions trigonométriques.

$a)$ $\displaystyle \int_{-5}^{5} \sqrt{25 - x^2} \, dx$

$b)$ $\displaystyle \int \frac{x}{\sqrt{1 - 2x - x^2}} \, dx$

c) $\displaystyle\int \frac{dx}{\left(x^2 + x + 1\right)^2}$

SOLUTION

a) $\displaystyle\int_{-5}^{5} \sqrt{25 - x^2}\, dx$

Posons $x = 5\sin z$ et $dx = 5\cos z\, dz$. Si $x = -5$, alors

$z = -\dfrac{\pi}{2}$, si $x = 5$ alors $z = \dfrac{\pi}{2}$.

De plus

$$\sqrt{25 - x^2} = \sqrt{25 - 25\sin^2 z} = 5\sqrt{1 - \sin^2 z}$$
$$= 5\sqrt{\cos^2 z} = 5\cos z$$

le cosinus étant positif dans l'intervalle $\left[-\dfrac{\pi}{2}, \dfrac{\pi}{2}\right]$.

Nous obtenons alors

$$\int_{-5}^{5} \sqrt{25 - x^2}\, dx = \int_{-\pi/2}^{\pi/2} 25\cos^2 z\, dz = 25\int_{-\pi/2}^{\pi/2} \frac{1 + \cos 2z}{2} dz$$

$$= \frac{25}{2}\left(\frac{1}{2}\sin 2z \Big|_{-\pi/2}^{\pi/2} + z \Big|_{-\pi/2}^{\pi/2}\right) = \frac{25}{2}\pi.$$

b) $\displaystyle\int \frac{x}{\sqrt{1 - 2x - x^2}}\, dx$

La forme canonique du trinôme

$$1 - 2x - x^2 = 2 - (x + 1)^2$$

indique que pour évaluer cette intégrale, nous pouvons poser

$x + 1 = \sqrt{2}\sin z$ $\left(z \in \left]-\dfrac{\pi}{2}, \dfrac{\pi}{2}\right[\right)$ d'où $x = -1 + \sqrt{2}\sin x$ et

$dx = \sqrt{2}\cos z\, dz$.

REMARQUE Nous excluons les extrémités de l'intervalle $\left(z = -\dfrac{\pi}{2} \text{ et } z = \dfrac{\pi}{2} \right)$ car pour ces deux valeurs le trinôme quadratique s'annule, donc l'intégrande n'est pas définie.

Donc

$$\int \frac{x}{\sqrt{1-2x-x^2}}\, dx = \int \frac{-1+\sqrt{2}\sin z}{\sqrt{2-2\sin^2 z}}\, \sqrt{2}\cos z\, dz$$

$$= \int \frac{-1+\sqrt{2}\sin z}{\sqrt{2}\sqrt{1-\sin^2 z}}\, \sqrt{2}\cos z\, dz = \int \frac{-1+\sqrt{2}\sin z}{\cos z}\cos z\, dz$$

$$\int \left(-1+\sqrt{2}\sin z\right) dz = -z - \sqrt{2}\cos z + C \ .$$

Revenons maintenant à la variable x. Dans l'intervalle $\left]-\dfrac{\pi}{2}, \dfrac{\pi}{2}\right[$, nous avons

$$x+1 = \sqrt{2}\sin x \quad \text{ssi} \quad z = \arcsin\frac{x+1}{\sqrt{2}}$$

et

$$\cos z = \sqrt{1-\sin^2 z} = \sqrt{1-\left(\frac{x+1}{\sqrt{2}}\right)^2}$$

$$= \sqrt{\frac{1-2x-x^2}{2}} = \frac{1}{\sqrt{2}}\sqrt{1-2x-x^2} \ .$$

Ainsi

$$\int \frac{x}{\sqrt{1-2x-x^2}}\, dx = -\arcsin\frac{x+1}{\sqrt{2}} - \sqrt{1-2x-x^2} + C \ .$$

$c)$ $\displaystyle\int \frac{dx}{\left(x^2+x+1\right)^2}$

La forme canonique du trinôme est

$$x^2+x+1 = \left(x+\frac{1}{2}\right)^2 + \frac{3}{4} \ .$$

Nous posons donc

$$x + \frac{1}{2} = \frac{\sqrt{3}}{2}\tan z \quad \left(z \in \left]-\frac{\pi}{2}, \frac{\pi}{2}\right[\right) \quad \text{et} \quad dx = \frac{\sqrt{3}}{2}\frac{dz}{\cos^2 z}.$$

Alors

$$\left(x + \frac{1}{2}\right)^2 + \frac{3}{4} = \frac{3}{4}\tan^2 z + \frac{3}{4} = \frac{3}{4}\left(\tan^2 z + 1\right)$$

$$= \frac{3}{4}\sec^2 z = \frac{3}{4}\frac{1}{\cos^2 z}.$$

Ainsi

$$\int \frac{dx}{\left(x^2 + x + 1\right)^2} = \int \frac{\dfrac{\sqrt{3}}{2}\dfrac{dz}{\cos^2 z}}{\left(\dfrac{3}{4}\dfrac{1}{\cos^2 z}\right)^2} = \frac{8\sqrt{3}}{9}\int \cos^2 z\, dz$$

$$= \frac{8\sqrt{3}}{9}\int \frac{1 + \cos 2z}{2}\, dz = \frac{4\sqrt{3}}{9}\left(z + \frac{1}{2}\sin 2z\right) + C$$

$$= \frac{4\sqrt{3}}{9}\left(z + \sin z \cos z\right) + C = \frac{4\sqrt{3}}{9}\left(z + \frac{\tan z}{1 + \tan^2 z}\right) + C.$$

Revenons maintenant à la variable initiale x.

Pour $z \in \left]-\dfrac{\pi}{2}, \dfrac{\pi}{2}\right[$, nous avons

$$x + \frac{1}{2} = \frac{\sqrt{3}}{2}\tan z \quad \text{ssi} \quad z = \arctan\frac{2x+1}{\sqrt{3}}.$$

Donc,

$$\int \frac{dx}{\left(x^2 + x + 1\right)^2} = \frac{4\sqrt{3}}{9}\left(\arctan\frac{2x+1}{\sqrt{3}} + \frac{\dfrac{2x+1}{\sqrt{3}}}{1 + \left(\dfrac{2x+1}{\sqrt{3}}\right)^2}\right) + C$$

$$= \frac{4\sqrt{3}}{9}\arctan\frac{2x+1}{\sqrt{3}} + \frac{1}{3}\frac{2x+1}{x^2 + x + 1} + C.$$

RÉPONSE

a) $\displaystyle\int_{-5}^{5}\sqrt{25-x^2}\,dx=\frac{25}{2}\pi$

b) $\displaystyle\int\frac{x}{\sqrt{1-2x-x^2}}\,dx=-\arcsin\frac{x+1}{\sqrt{2}}-\sqrt{1-2x-x^2}+C$

c) $\displaystyle\int\frac{dx}{\left(x^2+x+1\right)^2}=\frac{4\sqrt{3}}{9}\arctan\frac{2x+1}{\sqrt{3}}+\frac{1}{3}\frac{2x+1}{x^2+x+1}+C$

CHAPITRE

III

Applications de l'intégrale

1 - Calcul de l'aire entre deux courbes

2 - Calcul de volumes

3 - Calcul de la longueur d'un arc

4 - Calcul de l'aire d'une surface de révolution

5 - Équations différentielles à variables séparables

6 - Autres applications

CALCUL DE L'AIRE ENTRE DEUX COURBES

Soit f et g deux fonctions continues sur l'intervalle $[a\,,\,b]$ telles que $f(x) \geq g(x)$ pour tout x dans $[a\,,\,b]$.

L'AIRE DE LA RÉGION bornée par les courbes $y = f(x)$ et $y = g(x)$ entre les verticales $x = a$ et $x = b$ (figure 11) est donnée par $A = \int_a^b \left[f(x) - g(x) \right] dx$.

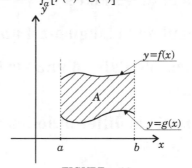

FIGURE 11

Si $g(x) = 0$ dans $[a\,,\,b]$ (figure 12) l'aire de la région est

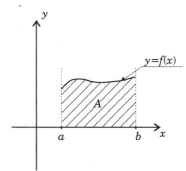

FIGURE 12

donnée par $A = \int_a^b f(x)\,dx$.

Si $f(x) = 0$ dans $[a, b]$ (figure 13) l'aire de la région est

donnée par $A = -\int_a^b g(x)\,dx$.

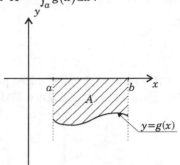

FIGURE 13

Exercices

25. Calculer l'aire de la région délimitée par $y = \sin x$ **et l'axe des abscisses entre les verticales** $x = 0$ **et** $x = 2\pi$.

SOLUTION

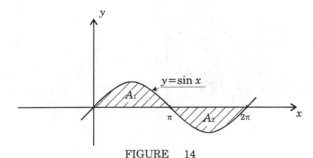

FIGURE 14

Étant donné que $\sin x \geq 0$ pour $x \in [0, \pi]$ et $\sin x \leq 0$ pour $x \in [\pi, 2\pi]$ (voir figure 14), nous avons $A = A_1 + A_2$ où

$$A_1 = \int_0^\pi \sin x\,dx = -\cos x \Big|_0^\pi = -[\cos \pi - \cos 0] = 2$$

et

$$A_2 = -\int_{\pi}^{2\pi} \sin x \, dx = \cos x \Big|_{\pi}^{2\pi} = \cos 2\pi - \cos \pi = 2 \ .$$

Par conséquent, $A = 2 + 2 = 4$.

RÉPONSE

$A = 4$

26. **Calculer l'aire de la région délimitée par la courbe $y = x^3$ et les droites $y = x$ et $y = 2x$ (figure 15).**

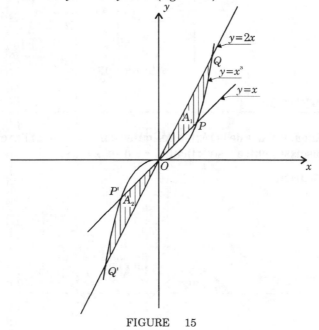

FIGURE   15

SOLUTION

En nous référant à la figure 15, nous constatons que la région qui nous intéresse est constituée de deux surfaces distinctes et identiques. Donc $A = 2A_1$. Pour calculer A_1, nous devons avoir les coordonnées des points O, P et Q.

- Puisque O est l'origine, nous avons $O(0,0)$.

- Puisque P est à l'intersection des courbes $y = x^3$ et $y = x$, à ce point $x^3 = x$, c'est-à-dire $x(x-1)(x+1) = 0$.

   Ainsi, trois valeurs sont possibles pour x : $x = 0$, $x = 1$ et $x = -1$. Si $x = 0$, alors $y = 0$ (nous avons déjà trouvé le point $O(0,0)$). Si $x = 1$, alors $y = 1$. Nous avons le point $P(1,1)$. Si $x = -1$, alors $y = -1$. Nous avons le point $P'(-1,-1)$.

- Puisque Q est à l'intersection des courbes $y = x^3$ et $y = 2x$, à ce point $x^3 = 2x$, c'est-à-dire $x\left(x - \sqrt{2}\right)\left(x + \sqrt{2}\right) = 0$.

   Ainsi trois valeurs sont possibles pour x : $x = 0$, $x = \sqrt{2}$ et $x = -\sqrt{2}$. Si $x = \sqrt{2}$, alors $y = 2\sqrt{2}$. Si $x = -\sqrt{2}$, alors $y = -2\sqrt{2}$. Nous avons donc trois points d'intersection pour ces courbes $O(0,0)$, $Q\left(\sqrt{2}, 2\sqrt{2}\right)$ et $Q'\left(-\sqrt{2}, -2\sqrt{2}\right)$.

Maintenant, trouvons A_1 (voir figure 16).

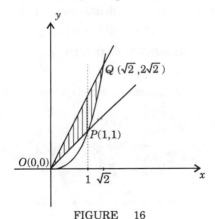

FIGURE   16

D'abord, nous remarquons qu'entre les verticales $x = 0$ et $x = 1$, la région est bornée par les courbes $y = 2x$ et $y = x$, tandis qu'entre les verticales $x = 1$ et $x = \sqrt{2}$, elle est bornée par les courbes $y = 2x$ et $y = x^3$. Donc,

$$A_1 = \int_0^1 (2x - x)\, dx + \int_1^{\sqrt{2}} \left(2x - x^3\right) dx$$

$$= \int_0^1 x\, dx + 2\int_1^{\sqrt{2}} x\, dx - \int_1^{\sqrt{2}} x^3 dx$$

$$= \frac{1}{2} x^2 \Big|_0^1 + x^2 \Big|_1^{\sqrt{2}} - \frac{1}{4} x^4 \Big|_1^{\sqrt{2}} = \frac{3}{4}$$

et $A = 2A_1 = \dfrac{3}{2}$.

RÉPONSE

$A = \dfrac{3}{2}$

27. **Trouver l'aire de la région délimitée par** $(y - x)^2 = 1 - x^2$ **.**

SOLUTION

D'abord, nous remarquons que le coté gauche de l'équation est un carré. La courbe n'est donc définie que pour les x satisfaisant la condition $1 - x^2 \geq 0$, c'est-à-dire $x \in [-1, 1]$.

En isolant y, nous obtenons deux courbes :

$y = x + \sqrt{1 - x^2}$ et $y = x - \sqrt{1 - x^2}$.

Ce sont elles qui délimitent la région qui nous intéresse (voir figure 17).

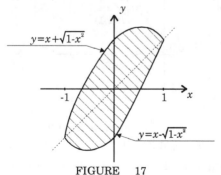

FIGURE 17

Il est facile de montrer que $(-1,-1)$ et $(1,1)$ sont les points d'intersection de ces courbes et que $x + \sqrt{1-x^2} \geq x - \sqrt{1-x^2}$, pour tout $x \in [-1,1]$.

Donc,

$$A = \int_{-1}^{1} \left[\left(x + \sqrt{1+x^2} \right) - \left(x - \sqrt{1-x^2} \right) \right] dx = 2 \int_{-1}^{1} \sqrt{1-x^2}\, dx .$$

Cette dernière intégrale peut être calculée à l'aide d'une substitution trigonométrique (voir l'exercice 24 a).

Posons $x = \sin t$ et $dx = \cos t\, dt$.

Alors

$$\int_{-1}^{1} \sqrt{1-x^2}\, dx = \int_{-\pi/2}^{\pi/2} \sqrt{1 - \sin^2 t}\, \cos t\, dt = \int_{-\pi/2}^{\pi/2} \cos^2 t\, dt$$

$$= \frac{1}{2} \cos t \sin t \Big|_{-\pi/2}^{\pi/2} + \frac{1}{2} \int_{-\pi/2}^{\pi/2} dt = 0 + \frac{1}{2} t \Big|_{-\pi/2}^{\pi/2} = \frac{\pi}{2} .$$

 Ne pas oublier de changer les bornes d'intégration.

 REMARQUE 1. $\sqrt{1 - \sin^2 t} = \sqrt{\cos^2 t} = |\cos t| = \cos t$

pour $t \in \left[-\frac{\pi}{2}, \frac{\pi}{2} \right]$ car dans cet intervalle, la fonction cosinus est positive.

2. $\int \cos^n t\, dt = \frac{1}{n} \cos^{n-1} t \sin t + \frac{n-1}{n} \int \cos^{n-2} t\, dt$

RÉPONSE

$A = \pi$

CALCUL DE VOLUMES

- **MÉTHODE DES TRANCHES**

  Soit S le solide représenté à la figure 18. Si pour chaque $x \in [a, b]$, $A(x)$ désigne l'aire d'intersection du solide S avec le plan perpendiculaire à l'axe des x d'abscisse x, alors le volume de ce solide est

  $$V = \int_a^b A(x)\, dx \ ,$$

  à la condition que $A(x)$ soit intégrable.

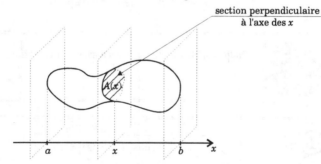

section perpendiculaire
à l'axe des x

FIGURE 18

- **VOLUME DES SOLIDES DE RÉVOLUTION**

  Soit f une fonction non négative et continue sur $[a, b]$. Considérons la surface plane délimitée par la courbe $y = f(x)$ et l'axe des x entre les verticales $x = a$ et $x = b$.

  Le volume V du solide engendré par la révolution de cette surface :

  a) autour de l'axe des x (figure 19) est donné par

  $$V = \pi \int_a^b f^2(x)\, dx \quad \text{(méthode des disques)}.$$

  b) autour de l'axe des y (figure 20) est donné par

$$V = 2\pi \int_a^b x f(x)\, dx \quad \text{(méthode des tubes)}.$$

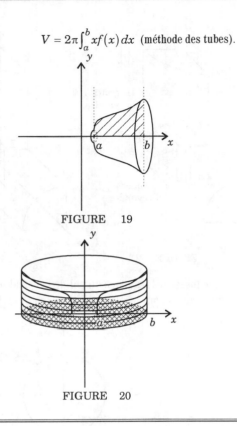

FIGURE 19

FIGURE 20

Exercices

28. Trouver le volume commun aux deux cylindres circulaires droits de même rayon R, dont les axes se rencontrent à l'angle droit (figure 21).

SOLUTION

La figure 22 représente un solide ayant $\frac{1}{8}$ du volume commun V.

Ce solide se trouve dans un système cartésien dont l'axe des y et celui des z correspondent aux axes des cylindres. Il est facile de voir

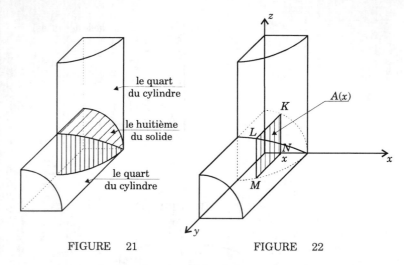

FIGURE   21   FIGURE   22

que toutes les tranches du solide perpendiculaires à l'axe des x sont des carrés dont les dimensions varient en fonction de x (figure 23).

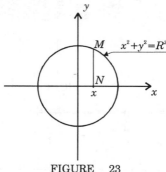

FIGURE   23

Nous avons $m\overline{MN} = \sqrt{R^2 - x^2}$. Donc l'aire de la tranche en x est $A(x) = R^2 - x^2$ et le volume du solide est

$$V = 8\int_0^R A(x)\,dx = 8\int_0^R \left(R^2 - x^2\right)dx = 8\left(R^2 x\Big|_0^R - \frac{1}{3}x^3\Big|_0^R\right) = \frac{16}{3}R^3 .$$

RÉPONSE

$$V = \frac{16}{3} R^3$$

29. Calculer le volume du solide engendré par la rotation autour de l'axe des x de la surface délimitée par la courbe $y = \sqrt{x}\, e^x$, l'axe des x et la droite verticale $x = 1$.

SOLUTION

Nous utilisons la formule

$$V = \pi \int_a^b f^2(x)\, dx$$

où $a = 0$, $b = 1$ et $f(x) = \sqrt{x}\, e^x$ (figure 24).

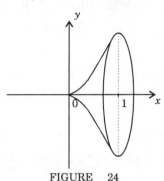

FIGURE   24

Donc

$$V = \pi \int_0^1 \left(\sqrt{x}\, e^x \right)^2 dx = \pi \int_0^1 x\, e^{2x} dx .$$

Nous évaluons cette dernière intégrale par la technique d'intégration par parties.

Posons

$$u = x \qquad\qquad dv = e^{2x} dx$$
$$du = dx \qquad\qquad v = \frac{1}{2} e^{2x} .$$

Alors

$$\int_0^1 x\,e^{2x}dx = \frac{1}{2}\,x\,e^{2x}\Big|_0^1 - \frac{1}{2}\int_0^1 e^{2x}dx = \frac{1}{2}\,e^2 - \frac{1}{4}\,e^{2x}\Big|_0^1$$

$$= \frac{1}{2}\,e^2 - \frac{1}{4}\left(e^2 - 1\right) = \frac{1}{4}\left(e^2 + 1\right)$$

et

$$V = \frac{1}{4}\,\pi\!\left(e^2 + 1\right) \ .$$

RÉPONSE

$$V = \frac{1}{4}\,\pi\!\left(e^2 + 1\right)$$

30. **Trouver le volume du solide engendré par la rotation de la région délimitée par la courbe** $y = \sin x$ **et l'axe des** x **entre les verticales** $x = 0$ **et** $x = \dfrac{\pi}{2}$

   $a)$ **autour de l'axe des** x,
   $b)$ **autour de l'axe des** y,
   $c)$ **autour de la droite** $x = \pi$.

SOLUTION

$a)$ Le volume du solide est

$$V = \pi\int_0^{\pi/2} f^2(x)\,dx = \pi\int_0^{\pi/2}\sin^2 x\,dx = \pi\int_0^{\pi/2}\frac{1-\cos 2x}{2}dx$$

$$= \frac{1}{2}\,\pi\int_0^{\pi/2}dx - \frac{1}{2}\,\pi\int_0^{\pi/2}\cos 2x\,dx = \frac{1}{2}\,\pi x\Big|_0^{\pi/2} - \frac{1}{4}\,\pi\sin 2x\Big|_0^{\pi/2} = \frac{\pi^2}{4}\ .$$

$b)$ Le volume du solide est

$$V = 2\pi\int_a^b x\,f(x)\,dx = 2\pi\int_0^{\pi/2} x\sin x\,dx \ .$$

Posons

$$u = x \qquad\qquad dv = \sin x\,dx$$

$$du = dx \qquad\qquad v = -\cos x$$

Alors

$$V = 2\pi \int_0^{\pi/2} x \sin x \, dx = 2\pi \left[-x \cos x \Big|_0^{\pi/2} + \int_0^{\pi/2} \cos x \, dx \right]$$

$$= 2\pi \left[0 + \sin x \Big|_0^{\pi/2} \right] = 2\pi .$$

c) Ici, l'axe de rotation n'est pas l'axe des y (c'est-à-dire la verticale passant par $x = 0$). Posons la transformation suivante :

$$x' = x - \pi \qquad y' = y .$$

Nous obtenons ainsi un nouveau système d'axes $x'Oy'$ dans lequel l'axe des y' (c'est-à-dire la verticale passant par $x' = 0$) est l'axe de rotation (figure 25).

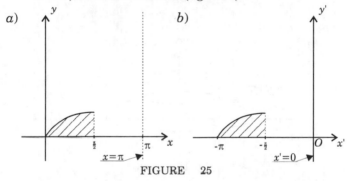

$a)$ $b)$

FIGURE 25

Notre problème devient donc le suivant (voir figure 26) : trouver le volume engendré par la rotation autour de l'axe des y' de la surface délimitée par $y' = \sin(x' + \pi)$ et l'axe des x' entre $x' = -\pi$ et $x' = -\dfrac{\pi}{2}$.

REMARQUE Dans la formule

$$V = 2\pi \int_a^b x f(x) \, dx ,$$

l'intégrande est une fonction positive où x représente le rayon moyen et $f(x)$ la hauteur du tube. Si la surface que nous faisons tourner est située dans le deuxième quadrant où l'abscisse est négative, le volume est donné par

$$V = 2\pi \int_a^b (-x) f(x)\, dx \;.$$

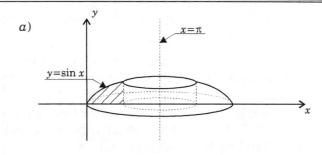

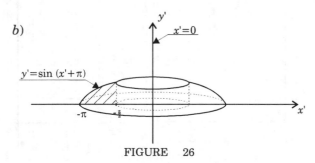

FIGURE 26

Le volume du solide est donc

$$V = 2\pi \int_{-\pi}^{-\pi/2} (-x')\sin(x'+\pi)\, dx' = 2\pi \int_{-\pi}^{-\pi/2} x'\sin x'\, dx' \;.$$

Posons

$$u = x' \qquad\qquad dv = \sin x'\, dx'$$
$$du = dx' \qquad\qquad v = -\cos x' \;.$$

Alors

$$V = 2\pi \int_{-\pi}^{-\pi/2} x'\sin x'\, dx' = 2\pi \left[-x'\cos x' \Big|_{-\pi}^{-\pi/2} + \int_{-\pi}^{-\pi/2} \cos x'\, dx' \right]$$

$$= 2\pi \left[\pi + \sin x \, ' \, \Big|_{-\pi}^{-\pi/2} \right] = 2\pi(\pi - 1) \, .$$

Si nous n'avions pas modifié la formule du volume ($-x'$ à la place de x') notre réponse aurait été négative.

RÉPONSE

a) $V = \dfrac{\pi^2}{4}$

b) $V = 2\pi$

c) $V = 2\pi(\pi - 1)$

3

CALCUL
DE LA LONGUEUR D'UN ARC

- Soit f une fonction continue sur $[a\,,\,b]$. Si $f\,'(x)$ existe et est aussi continue pour tout $x \in [a,b]$, alors la longueur L de l'arc de la courbe $y = f(x)$ entre les points $A(a\,,\,c)$ et $B(b\,,\,d)$ ($c = f(a)$ et $d = f(b)$) est donnée par

$$L = \int_a^b \sqrt{1 + \left[f\,'(x)\right]^2}\ dx\,.$$

Quelquefois, il est plus facile d'utiliser y comme étant la variable indépendante. Dans ce cas, nous avons

$$L = \int_c^d \sqrt{1 + \left[g\,'(x)\right]^2}\ dy\ \text{ où }\ x = g(y) = f^{-1}(y)\,.$$

Exercices

31. Trouver la longueur de la courbe d'équation

$$\sqrt{x} + \sqrt{y} = \sqrt{5}\,.$$

SOLUTION

Pour appliquer la formule $L = \int_a^b \sqrt{1 + \left[f\,'(x)\right]^2}\ dx$,

nous devons isoler y et trouver l'intervalle d'intégration $[a\,,\,b]$. Puisque $\sqrt{x} + \sqrt{y} = \sqrt{5}$, alors $\sqrt{y} = \sqrt{5} - \sqrt{x}$. Cette équation est définie pour $x \geq 0$ et $\sqrt{5} - \sqrt{x} \geq 0$, c'est-à-dire pour $x \in [0,5]$. Notre intervalle d'intégration est donc [0 , 5] et

$$y = f(x) = \left(\sqrt{5} - \sqrt{x}\right)^2\,.$$

Cherchons $f\,'(x)$.

Nous avons

$$f'(x) = 2\left(\sqrt{5} - \sqrt{x}\right)\left(\frac{-1}{2\sqrt{x}}\right) = -\frac{\sqrt{5} - \sqrt{x}}{\sqrt{x}} \, .$$

Donc

$$L = \int_0^5 \sqrt{1 + \left(-\frac{\sqrt{5} - \sqrt{x}}{\sqrt{x}}\right)^2} \, dx = \int_0^5 \sqrt{2x - 2\sqrt{5x} + 5} \, \frac{dx}{\sqrt{x}} \, .$$

Posons

$z = \sqrt{x}$. Alors $dz = \dfrac{dx}{2\sqrt{x}}$ et

$$L = 2\int_0^{\sqrt{5}} \sqrt{2z^2 - 2\sqrt{5}z + 5} \, dz = 2\sqrt{2}\int_0^{\sqrt{5}} \sqrt{z^2 - \sqrt{5}z + \frac{5}{2}} \, dz$$

$$= 2\sqrt{2}\int_0^{\sqrt{5}} \sqrt{\left(z - \frac{\sqrt{5}}{2}\right)^2 + \frac{5}{4}} \, dz \, .$$

 Ne pas oublier de changer les bornes d'intégration.

Maintenant, si $u = z - \dfrac{\sqrt{5}}{2}$, alors $du = dz$ et

$$L = 2\sqrt{2}\int_{-\sqrt{5}/2}^{\sqrt{5}/2} \sqrt{u^2 + \frac{5}{4}} \, du \, .$$

Cette intégrale peut être évaluée par la substitution trigonométrique $u = \dfrac{\sqrt{5}}{2}\tan t$ (comparer l'exercice 24 *c*). Nous pouvons aussi l'évaluer en utilisant la formule

$$\int \sqrt{u^2 + a^2} \, du = \frac{u}{2}\sqrt{u^2 + a^2} + \frac{a^2}{2}\ln\left|u + \sqrt{u^2 + a^2}\right| + C$$

que nous trouvons dans les tables d'intégration.

Ici $a = \dfrac{\sqrt{5}}{2}$. Donc

$$L = 2\sqrt{2}\left[\frac{u}{2}\sqrt{u^2+\frac{5}{4}}+\frac{5}{8}\ln\left|u+\sqrt{u^2+\frac{5}{4}}\right|\right]\Bigg|_{-\sqrt{5}/2}^{\sqrt{5}/2}$$

$$= 2\sqrt{2}\left[\frac{\sqrt{5}}{4}\sqrt{\frac{10}{4}}+\frac{5}{8}\ln\left(\frac{\sqrt{5}}{2}+\sqrt{\frac{10}{4}}\right)\right.$$

$$\left.+\frac{\sqrt{5}}{4}\sqrt{\frac{10}{4}}-\frac{5}{8}\ln\left(-\frac{\sqrt{5}}{2}+\sqrt{\frac{10}{4}}\right)\right]$$

$$= 5+\frac{5\sqrt{2}}{4}\ln\left(3+2\sqrt{2}\right).$$

RÉPONSE

$$L = 5+\frac{5\sqrt{2}}{4}\ln\left(3+2\sqrt{2}\right)$$

32. **La courbe**

$$(y-1)^2 = (x+1)^3$$

coupe l'axe des y en deux points. Trouver la longueur de l'arc de cette courbe compris entre ces deux points.

SOLUTION

La courbe est une parabole cubique dont l'axe de symétrie est la droite $y = 1$ (voir figure 27).

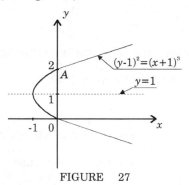

FIGURE   27

Si $x = 0$, alors $(y-1)^2 = 1$, c'est-à-dire $y = 0$ ou $y = 2$. Les points de rencontre avec l'axe des y sont donc $O(0,0)$ et $A(0,2)$. Nous allons trouver la longueur de l'arc de la courbe compris entre ces points de deux façon différentes.

1re façon

Nous avons $(y-1)^2 = (x+1)^3$. Cette équation est définie pour $(x+1)^3 \geq 0$, c'est-à-dire $x \geq -1$.

En isolant y, nous obtenons deux courbes (voir figure 28).

$$y = f_1(x) = 1 + \sqrt{(x+1)^3} \quad \text{et} \quad y = f_2(x) = 1 - \sqrt{(x+1)^3} \ .$$

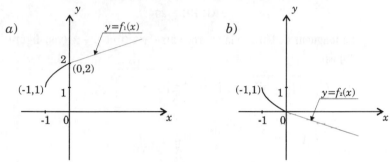

FIGURE   28

Posons L_1 la longueur de l'arc de la courbe $y = f_1(x)$ entre $x = -1$ et $x = 0$ et L_2 la longueur de l'arc de la courbe $y = f_2(x)$ entre $x = -1$ et $x = 0$. Nous voyons que, par symétrie, $L = L_1 + L_2 = 2L_1$.

Puisque $f_1{}'(x) = \dfrac{3}{2}(x+1)^{1/2}$, alors

$$L = 2L_1 = 2\int_{-1}^0 \sqrt{1 + \left[\frac{3}{2}(x+1)^{1/2}\right]^2}\, dx = \int_{-1}^0 \sqrt{9x+13}\, dx$$

$$= \frac{2}{27}(9x+13)^{3/2}\Big|_{-1}^0 = \frac{2}{27}\left(13\sqrt{13} - 8\right).$$

2e façon

Isolons x de l'équation $(y-1)^2 = (x+1)^3$. Nous trouvons

$$x = -1 + \sqrt[3]{(y-1)^2} = g(y).$$

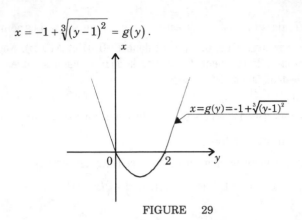

FIGURE 29

La longueur de l'arc de la courbe entre $y = 0$ et $y = 2$ (voir figure 29) est

$$L = \int_0^2 \sqrt{1 + \left[g'(y)\right]^2}\, dy = \int_0^2 \sqrt{1 + \left[\frac{2}{3}(y-1)^{-\frac{1}{3}}\right]^2}\, dy$$

$$= \int_0^2 \sqrt{1 + \frac{4}{9}(y-1)^{-\frac{2}{3}}}\, dy = \int_0^2 \sqrt{1 + \frac{4}{9\sqrt[3]{(y-1)^2}}}\, dy$$

$$= \int_0^2 \frac{\sqrt{9\sqrt[3]{(y-1)^2} + 4}}{3\sqrt[3]{|y-1|}}\, dy.$$

Ne pas oublier que
$$\sqrt{(y-1)^2} = |y-1| = \begin{cases} y-1 & \text{si } y \geq 1 \\ -(y-1) & \text{si } y < 1 \end{cases}.$$

Alors

$$L = \int_0^2 \frac{\sqrt{9\sqrt[3]{(y-1)^2} + 4}}{3\sqrt[3]{|y-1|}}\, dy$$

$$= \frac{1}{3}\int_0^1 \frac{\sqrt{9\sqrt[3]{(y-1)^2}+4}}{-\sqrt[3]{y-1}}\,dy + \frac{1}{3}\int_1^2 \frac{\sqrt{9\sqrt[3]{(y-1)^2}+4}}{\sqrt[3]{y-1}}\,dy$$

Posons $z = \sqrt[3]{(y-1)^2}$. Alors $dz = \frac{2}{3}(y-1)^{-\frac{1}{3}}dy = \frac{2dy}{3\sqrt[3]{y-1}}$

Si $y = 0$ alors $z = 1$, si $y = 1$ alors $z = 0$, si $y = 2$ alors $z = 1$.

$$L = -\frac{1}{2}\int_1^0 \sqrt{9z+4}\,dz + \frac{1}{2}\int_0^1 \sqrt{9z+4}\,dz$$

$$= \frac{1}{2}\int_0^1 \sqrt{9z+4}\,dz + +\frac{1}{2}\int_0^1 \sqrt{9z+4}\,dz = \int_0^1 \sqrt{9z+4}\,dz$$

$$= \int_0^1 (9z+4)^{\frac{1}{2}}dz = \frac{1}{9}\frac{(9z+4)^{\frac{3}{2}}}{\frac{3}{2}}\Bigg|_0^1 = \frac{2}{27}\left(13\sqrt{13}-8\right).$$

RÉPONSE

$$L = \frac{2}{27}\left(13\sqrt{13}-8\right)$$

CALCUL DE L'AIRE D'UNE SURFACE DE RÉVOLUTION

4

- Soit f une fonction continue non négative sur $[a\,,\,b]$ dont la dérivée $f\,'$ est aussi continue sur $[a\,,\,b]$.

  L'aire S de la surface engendrée par la rotation autour de l'axe des x de l'arc de la courbe $y = f(x)$ compris entre les points d'abscisses $x = a$ et $x = b$ est donnée par

  $$S = 2\pi \int_a^b f(x)\sqrt{1 + \left[f\,'(x)\right]^2}\ dx\,.$$

Exercices

33. **À l'aide du calcul intégral, trouver l'aire latérale d'un cône circulaire droit dont la hauteur est h et le rayon de la base est r.**

SOLUTION

Si nous faisons tourner le segment $\overline{OA}$ de la droite $y = \dfrac{r}{h}\,x$ autour de l'axe des x (voir figure 30), nous obtenons la surface latérale du cône de hauteur h dont le rayon de la base est r.

Donc

$$S = 2\pi \int_0^h \frac{r}{h}\,x \sqrt{1 + \left[\left(\frac{r}{h}\,x\right)'\right]^2}\ dx = 2\pi\,\frac{r}{h}\sqrt{1 + \left(\frac{r}{h}\right)^2}\int_0^h x\,dx$$

$$= 2\pi\,\frac{r}{h}\sqrt{1 + \left(\frac{r}{h}\right)^2}\ \left.\frac{x^2}{2}\right|_0^h = \pi r\sqrt{h^2 + r^2}$$

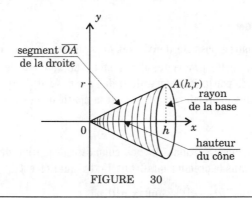

FIGURE 30

REMARQUE La formule obtenue peut s'écrire sous la forme $S = \pi r l$

où $l = \sqrt{h^2 + r^2}$ est la génératrice du cône.

RÉPONSE

$$S = \pi r \sqrt{r^2 + h^2}$$

34. **Trouver l'aire de la surface engendrée par la rotation de l'hypocycloïde (figure 31)** $x^{2/3} + y^{2/3} = a^{2/3}$ **autour de l'axe des** x.

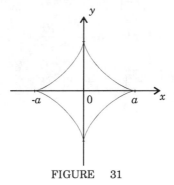

FIGURE 31

SOLUTION

Cette courbe possède deux axes de symétrie : $x = 0$ et $y = 0$. À cause de cette proprieté, il est facile de voir que la surface S_1 engendrée par la rotation autour de l'axe des x de l'arc de la courbe situé dans le premier quadrant est la moitié de la surface totale S, c'est-à-dire

$S = 2S_1$.

Pour calculer S_1, nous devons connaître l'équation de l'arc de la courbe dans le premier quadrant. Cette équation est

$$y = f(x) = \left(a^{2/3} - x^{2/3}\right)^{3/2}, \text{ où } x \in [0, a].$$

Ainsi

$$f'(x) = \frac{3}{2}\left(a^{2/3} - x^{2/3}\right)^{1/2}\left(-\frac{2}{3}x^{-1/3}\right) = -\frac{\left(a^{2/3} - x^{2/3}\right)^{1/2}}{x^{1/3}}$$

et

$$\sqrt{1 + \left[f'(x)\right]^2} = \sqrt{1 + \frac{\left(a^{2/3} - x^{2/3}\right)}{x^{2/3}}} = \sqrt{\frac{a^{2/3}}{x^{2/3}}} = \frac{a^{1/3}}{|x|^{1/3}} = \frac{a^{1/3}}{x^{1/3}} \quad (\text{car } x > 0$$

dans le premier quadrant).

Cherchons S.

$$S = 2S_1 = 4\pi\int_0^a f(x)\sqrt{1 + \left[f'(x)\right]^2}\, dx = 4\pi a^{1/3}\int_0^a \left(a^{1/3} - x^{1/3}\right)^{3/2} \frac{dx}{x^{1/3}}$$

Posons $z = a^{2/3} - x^{2/3}$. Alors $dz = -\frac{2}{3}\frac{dx}{x^{1/3}}$ et

$$S = 2S_1 = 4\pi a^{1/3}\int_{a^{2/3}}^0 z^{3/2}\left(-\frac{3}{2}\right) dz = -6\pi a^{1/3}\frac{z^{5/2}}{5/2}\Bigg|_{a^{2/3}}^0 = \frac{12}{5}\pi a^2.$$

RÉPONSE

$$S = \frac{12}{5}\pi a^2$$

5 ÉQUATIONS DIFFÉRENTIELLES À VARIABLES SÉPARABLES

- Une équation différentielle est dite à variables séparables si elle peut s'écrire sous la forme

$$y' = \frac{f(x)}{g(x)}.$$

Pour résoudre une telle équation, nous devons :

1) séparer les variables, c'est-à-dire l'écrire sous la forme
$$g(y)\,dy = f(x)\,dx\,;$$

2) trouver la solution générale en intégrant chaque membre de cette dernière équation
$$\int g(y)\,dy = \int f(x)\,dx\,;$$

3) trouver la solution particulière si une condition initiale nous permet de déterminer la constante d'intégration.

Exercices

35. Résoudre les équations ci-dessous et donner l'interprétation géométrique de la solution.

$a)$ $x\,y' + y = y^2$

$b)$ $y - xy' = x^2 y' + 1$, $y(1) = 0$

SOLUTION

$a)$ $x\,y' + y = y^2$

1) Séparons les variables
$$x\frac{dy}{dx} = y^2 - y$$

$$\frac{dy}{y^2 - y} = \frac{dx}{x} .$$

2)   Intégrons les deux membres de l'équation

$$\int \frac{dy}{y^2 - y} = \int \frac{dx}{x} .$$

Par la technique d'intégration par fractions partielles, nous obtenons

$$\int \frac{dy}{y - 1} - \int \frac{dy}{y} = \int \frac{dx}{x} .$$

D'où

$\ln|y - 1| - \ln|y| = \ln|x| + k$, où k est une constante arbitraire.

 REMARQUE   Afin d'obtenir une forme plus compacte pour la solution, nous pouvons écrire $k = \ln|C|$ et $C \neq 0$, car $\ln|x|$ ($x \neq 0$) peut prendre n'importe quelle valeur dans les réels.

Ainsi

$\ln|y - 1| - \ln|y| = \ln|x| + \ln|C|$

et

$$\ln\left|\frac{y - 1}{y}\right| = \ln|Cx|$$

en appliquant les proprietées des logarithmes. De ce résultat, nous trouvons

$$\frac{y - 1}{y} = Cx$$

$$y - 1 = Cxy$$

$$y(1 - Cx) = 1$$

$$y = \frac{1}{1 - Cx} , \ C \neq 0 .$$

Cette équation représente la famille des hyperboles (figure 32 a et b) passant par le point $A(0,1)$ et ayant pour asymptotes les droites $x = \frac{1}{C}$ et $y = 0$.

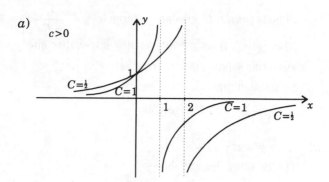

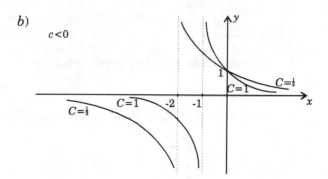

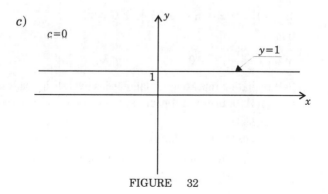

FIGURE   32

Si nous posons $C = 0$ dans la formule $y = \dfrac{1}{1 - Cx}$, nous obtenons $y = 1$. Nous pouvons facilement vérifier que $y = 1$ est aussi une solution de l'équation $x\,y' + y = y^2$.

La solution générale est donc

$$y = \frac{1}{1 - Cx} \,,\ C \in R \text{ (figure 32)}.$$

b) $y - x\,y' = x^2 y' + 1$

1)   Séparons les variables

$$\left(x^2 + x\right)\frac{dy}{dx} = y - 1$$

$$\frac{dy}{y - 1} = \frac{dx}{x^2 + x} \,.$$

2)   Intégrons les deux membres de cette équation

$$\int \frac{dy}{y - 1} = \int \frac{dx}{x^2 + x} \,.$$

Par la technique d'intégration par fractions partielles, nous obtenons

$$\int \frac{dy}{y - 1} = \int \frac{dx}{x} - \int \frac{dx}{x + 1} \,.$$

Donc

$$\ln|y - 1| = \ln|x| - \ln|x + 1| + \ln|C| \,,\ C \neq 0 \,.$$

D'où

$$y = 1 + \frac{Cx}{x + 1} \,,\ C \neq 0 \,.$$

Cette équation représente la famille des hyperboles passant par le point $A(0,1)$ et ayant pour asymptotes les droites $x = -1$ et $y = 1 + C$.

Si nous posons $C = 0$ dans la formule ci-dessus, nous obtenons $y = 1$. C'est aussi une solution de $y - x\,y' = x^2 y' + 1$.

La solution générale est donc

$$y = 1 + \frac{Cx}{x + 1} \,,\ C \in R \,.$$

Dans ce problème, nous voulons trouver la solution qui satisfait la condition initiale $y(1) = 0$, c'est-à-dire celle pour laquelle $y = 0$ quand $x = 1$. En substituant ces deux valeurs dans la solution générale, nous trouvons $C = -2$.

La solution particulière est donc

$$y = 1 - \frac{2x}{x + 1} \quad \text{(figure 33)}$$

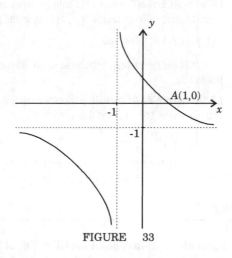

FIGURE   33

RÉPONSE

$a)$ $\quad y = \dfrac{1}{1 - Cx}$, $C \in R$ (voir figure 32)

$b)$ $\quad y = 1 - \dfrac{2x}{x + 1}$ (voir figure 33)

6

AUTRES APPLICATIONS

- **LE DÉPLACEMENT** d'une particule en mouvement rectiligne durant l'intervalle de temps $[t_1, t_2]$ est donné par

$$s(t_2) - s(t_1) = \int_{t_1}^{t_2} v(t)\, dt$$

où $s(t)$ et $v(t)$ sont respectivement sa position et sa vitesse au temps t.

- **LA DISTANSE PARCOURUE** par cette particule durant l'intervalle de temps $[t_1, t_2]$ est donné par

$$d = \int_{t_1}^{t_2} |v(t)|\, dt \, .$$

Exercices

36. Soit une particule en mouvement rectiligne dont la vitesse en fonction du temps est représentée à la figure 34.

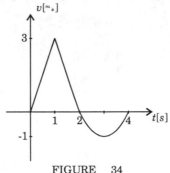

FIGURE   34

Trouver le déplacement ainsi que la distance parcourue par cette particule.

SOLUTION

D'abord trouvons la fonction $v(t)$.

Dans l'intervalle [0 , 1], le graphique est un segment de droite. Pour décrire la fonction dans cet intervalle, nous devons donc trouver l'équation de la droite passant par (0,0) et (1,3). Il est facile de montrer que cette équation est $v = 3t$.

Dans l'intervalle [1 , 4], le graphique est une portion de parabole. Pour décrire la fonction dans cet intervalle, nous devons donc trouver l'équation de la parabole dont les zéros sont $t = 2$ et $t = 4$ (alors $v = a(t-2)(t-4)$) et qui passe par le point (1,3) (d'où $a = 1$). Cette équation est donc $v = (t-2)(t-4) = t^2 - 6t + 8$.

Ainsi

$$v(t) = \begin{cases} 3t & \text{si} \quad 0 \le t \le 1 \\ t^2 - 6t + 8 & \text{si} \quad 1 < t \le 4 \end{cases}.$$

Le déplacement entre $t = 0$ et $t = 4$ est donc

$$s(4) - s(0) = \int_0^4 v(t)\,dt = \int_0^1 3t\,dt + \int_1^4 \left(t^2 - 6t + 8\right)dt$$

$$= \frac{3}{2} t^2 \Big|_0^1 + \frac{1}{3} t^3 \Big|_1^4 - 3t^3 \Big|_1^4 + 8t \Big|_1^4 = \frac{3}{2} \,[m].$$

(le m designe des mètres)

La distance parcourue est

$$d = \int_0^4 |v(t)|\,dt = \int_0^1 3t\,dt + \int_1^2 \left(t^2 - 6t + 8\right)dt - \int_2^4 \left(t^2 - 8t + 6\right)dt$$

$$= \frac{25}{6} \,[m].$$

 REMARQUE   La différence entre les résultats vient du fait qu'entre $t = 2$ et $t = 4$, la vitesse est négative, ce qui signifie que la particule revient vers sa position de départ.

RÉPONSE

Le déplacement vaut $\dfrac{3}{2}\,[m]$.

La distance parcourue vaut $\dfrac{25}{6}[m]$.

37. **La vitesse de désintégration du radium est directement proportionnelle à sa masse à l'instant considéré. Déterminer la loi de variation de la masse du radium en fonction du temps, sachant qu'à l'instant $t = 0$ la masse était m_0.**

SOLUTION

Si la vitesse de désintégration ($v(t) = \dfrac{dm}{dt}$) est proportionnelle à la masse à l'instant considéré ($m(t)$), nous pouvons alors écrire

$\dfrac{dm}{dt} = -k\,m(t)$ où $k > 0$ est le coefficient de proportionnalité.

 REMARQUE   Le signe « – » indique que la masse diminue. La vitesse de désintégration est négative.

L'équation ci-dessus est une équation différentielle à variables séparables. Nous avons

$\dfrac{dm}{m} = -k\,dt$

$\displaystyle\int \dfrac{dm}{m} = -k\int dt$

$\ln m = -k\,t + C_1$

d'où

$m = Ce^{-kt}$, $C = e^{C_1}$.

Étant donné que la masse du radium était m_0 à l'instant $t = 0$, la constante C doit satisfaire la condition $m_0 = Ce^0$, d'où $C = m_0$.

Finalement nous obtenons $m(t) = m_0 e^{-kt}$.

RÉPONSE

$m(t) = m_0 e^{-kt}$

CHAPITRE IV

Intégrales impropres et règle de l'Hospital

INTÉGRALES IMPROPRES

INTÉGRALE AVEC DES BORNES INFINIES

Soit f une fonction continue sur $]-\infty, +\infty[$.

Nous définissons l'intégrale impropre de f sur l'intervalle $[a, +\infty[$ comme suit (voir figure 35) :

$$\int_a^{+\infty} f(x)\,dx = \lim_{b \to +\infty} \int_a^b f(x)\,dx.$$

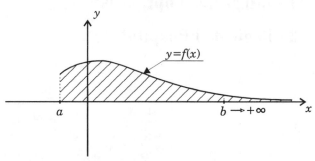

FIGURE   35

Si la limite existe, nous disons que l'intégrale converge. Sinon, elle diverge.

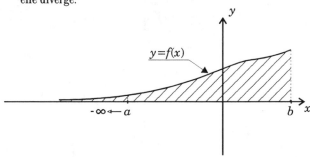

FIGURE   36

- Nous définissons l'intégrale impropre de f sur l'intervalle $]-\infty, b]$ comme suit (voir figure 36) :

$$\int_{-\infty}^{b} f(x)\,dx = \lim_{a \to -\infty} \int_{a}^{b} f(x)\,dx \, .$$

Si la limite existe, nous disons que l'intégrale converge. Sinon, elle diverge.

- Nous définissons l'intégrale impropre de f sur l'intervalle $]-\infty, +\infty[$ comme suit :

$$\int_{-\infty}^{+\infty} f(x)\,dx = \int_{-\infty}^{c} f(x)\,dx + \int_{c}^{+\infty} f(x)\,dx$$

$$= \lim_{a \to -\infty} \int_{a}^{c} f(x)\,dx + \lim_{b \to +\infty} \int_{c}^{b} f(x)\,dx$$

où c est un nombre réel.
Si les deux intégrales existent, nous disons que l'intégrale converge. Sinon, elle diverge.

INTÉGRALE D'UNE FONCTION DISCONTINUE

- Soit f une fonction continue sur $[a, b[$ ayant une discontinuité en $x = b$. Nous définissons l'intégrale impropre de f sur $[a, b[$ comme suit (voir figure 37) :

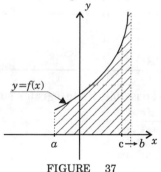

FIGURE   37

Encore une fois, l'intégrale converge si la limite existe et diverge si elle n'existe pas.

- Soit f une fonction continue sur $]a, b]$ ayant une discontinuité en $x = a$. On définit l'intégrale impropre de f sur $]a, b]$ comme suit (voir figure 38) :

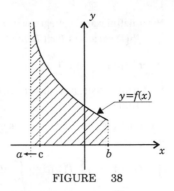

FIGURE   38

L'intégrale converge si la limite existe et diverge si elle n'existe pas.

- Soit f une fonction continue sur $[a\,,\,b]$, sauf au point $c \in\,]a\,,b[$. Nous définissons l'intégrale impropre de f sur $[a\,,\,b]$ comme suit :

$$\int_a^b f(x)\,dx = \int_a^c f(x)\,dx + \int_c^b f(x)\,dx$$

$$= \lim_{s \to c^-} \int_a^s f(x)\,dx + \lim_{t \to c^+} \int_t^b f(x)\,dx\,.$$

Exercices

38. Évaluer, si possible, les intégrales suivantes.

a) $\displaystyle\int_2^{+\infty} \frac{dx}{x\ln^2 x}$

b) $\displaystyle\int_{-\infty}^0 e^x \sin x\,dx$

c) $\displaystyle\int_{-\infty}^{+\infty} \frac{dx}{x^2 + 9}$

d) $\displaystyle\int_{-\infty}^{+\infty} \frac{x\,dx}{x^2 + 1}$

SOLUTION

a) $\displaystyle\int_2^{+\infty} \frac{dx}{x\ln^2 x}$

La borne supérieure de l'intégrale étant infinie, nous avons par définition

$$\int_2^{+\infty} \frac{dx}{x\ln^2 x} = \lim_{b\to+\infty} \int_2^b \frac{dx}{x\ln^2 x}\,.$$

Nous calculons l'intégrale définie $\displaystyle\int_2^b \frac{dx}{x\ln^2 x}$ par la technique de substitution.

Posons $u = \ln x$, alors $du = \dfrac{dx}{x}$.

Donc

$$\int_2^b \frac{dx}{x\ln^2 x} = \int_{\ln 2}^{\ln b} \frac{du}{u^2} = -\frac{1}{u}\bigg|_{\ln 2}^{\ln b} = -\frac{1}{\ln b} + \frac{1}{\ln 2}\,.$$

 Ne pas oublier de changer les bornes d'intégration.

Ainsi

$$\int_2^{+\infty} \frac{dx}{x\ln^2 x} = \lim_{b\to+\infty}\left(-\frac{1}{\ln b} + \frac{1}{\ln 2} \right) = 0 + \frac{1}{\ln 2} = \frac{1}{\ln 2}\,.$$

b) $\displaystyle\int_{-\infty}^0 e^x \sin x\,dx$

La borne inférieure étant infinie, nous avons par définition

$$\int_{-\infty}^0 e^x \sin x\,dx = \lim_{a\to-\infty} \int_a^0 e^x \sin x\,dx\,.$$

Nous calculons $\displaystyle\int_a^0 e^x \sin x\,dx$ par la technique d'intégration par parties.

Posons

$$u = e^x \qquad\qquad dv = \sin x\,dx$$
$$du = e^x\,dx \qquad\qquad v = -\cos x\,.$$

Alors

$$\int_a^0 e^x \sin x \, dx = -e^x \cos x \Big|_a^0 + \int_a^0 e^x \cos x \, dx$$

$$= -1 + e^a \cos a + \int_a^0 e^x \cos x \, dx \, .$$

Posons

$$u = e^x \qquad\qquad dv = \cos x \, dx$$

$$du = e^x dx \qquad\qquad v = \sin x \, .$$

Alors

$$\int_a^0 e^x \sin x \, dx = -1 + e^a \cos a + \left[e^x \sin x \Big|_a^0 - \int_a^0 e^x \sin x \, dx \right]$$

$$= -1 + e^a \cos a - e^a \sin a - \int_a^0 e^x \sin x \, dx \, .$$

L'intégrale cherchée apparaît de chaque côté de l'égalité. Alors

$$2\int_a^0 e^x \sin x \, dx = -1 + e^a \cos a - e^a \sin a$$

d'où

$$\int_a^0 e^x \sin x \, dx = \frac{1}{2} \left(-1 + e^a \cos a + e^a \sin a \right)$$

et finalement

$$\int_{-\infty}^0 e^x \sin x \, dx = \lim_{a \to -\infty} \frac{1}{2} \left(-1 + e^a \cos a - e^a \sin a \right) = -\frac{1}{2} \, .$$

 REMARQUE

Noter que (voir figure 39)

$$\lim_{x \to -\infty} e^x \cos x = \lim_{x \to -\infty} e^x \sin x = 0 \, ,$$

car $\lim_{x \to -\infty} e^x = 0$ et $|\sin x| \leq 1$, $|\cos x| \leq 1$ pour tout $x \in \mathbb{R}$.

---

c) $\displaystyle \int_{-\infty}^{+\infty} \frac{dx}{x^2 + 9}$

Les deux bornes d'intégration sont infinies, donc par définition

$$\int_{-\infty}^{+\infty} \frac{dx}{x^2 + 9} = \int_{-\infty}^0 \frac{dx}{x^2 + 9} + \int_0^{+\infty} \frac{dx}{x^2 + 9}$$

$$= \lim_{a \to -\infty} \int_a^0 \frac{dx}{x^2 + 9} + \lim_{b \to +\infty} \int_0^b \frac{dx}{x^2 + 9} \,.$$

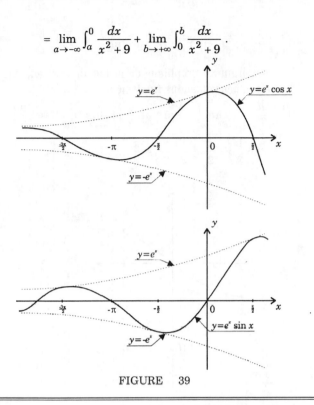

FIGURE   39

REMARQUE   Le point de partage $x = 0$ de l'intervalle d'intégration $]-\infty, +\infty[$ a été choisi arbitrairement. Nous aurions pu choisir n'importe quel autre point $x = c$ sans affecter le résultat final.

Par la formule d'intégration
$$\int \frac{dx}{x^2 + a^2} = \frac{1}{a} \arctan \frac{x}{a} + C \,,$$
nous avons
$$\int_a^0 \frac{dx}{x^2 + 9} = \frac{1}{3} \arctan \frac{x}{3} \bigg|_a^0 = -\frac{1}{3} \arctan \frac{a}{3}$$
et

$$\int_0^b \frac{dx}{x^2+9} = \frac{1}{3}\arctan\frac{x}{3}\bigg|_0^b = \frac{1}{3}\arctan\frac{b}{3}\,.$$

En se référant au graphique de la fonction arctangente (voir figure 40), nous obtenons finalement

$$\int_{-\infty}^{+\infty}\frac{dx}{x^2+9} = \lim_{a\to-\infty}\left(-\frac{1}{3}\arctan\frac{a}{3}\right) + \lim_{b\to+\infty}\left(\frac{1}{3}\arctan\frac{b}{3}\right)$$

$$= \left(-\frac{1}{3}\right)\left(-\frac{\pi}{2}\right) + \frac{1}{3}\left(\frac{\pi}{2}\right) = \frac{\pi}{3}\,.$$

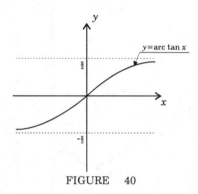

FIGURE   40

d) $\displaystyle\int_{-\infty}^{+\infty}\frac{x\,dx}{x^2+1}$

Les deux bornes d'intégration sont infinies, donc

$$\int_{-\infty}^{+\infty}\frac{x\,dx}{x^2+1} = \int_{-\infty}^{0}\frac{x\,dx}{x^2+1} + \int_0^{+\infty}\frac{x\,dx}{x^2+1}$$

$$= \lim_{a\to-\infty}\int_a^0\frac{x\,dx}{x^2+1} + \lim_{b\to+\infty}\int_0^b\frac{x\,dx}{x^2+1}\,.$$

Par la formule d'intégration

$$\int\frac{f'(x)\,dx}{f(x)} = \ln|f(x)| + C\,,$$

nous avons

$$\int_a^0\frac{x\,dx}{x^2+1} = \frac{1}{2}\ln(x^2+1)\bigg|_a^0 = -\frac{1}{2}\ln(a^2+1)$$

de même

$$\int_0^b \frac{x\,dx}{x^2+1} = \frac{1}{2}\ln\left(x^2+1\right)\Big|_0^b = \frac{1}{2}\ln\left(b^2+1\right).$$

Donc

$$\int_{-\infty}^{+\infty} \frac{x\,dx}{x^2+1} = \lim_{a\to-\infty}\left[-\frac{1}{2}\ln\left(a^2+1\right)\right] + \lim_{b\to+\infty}\left[\frac{1}{2}\ln\left(b^2+1\right)\right]$$

$$= (-\infty)+(+\infty),$$

puisqu'au moins une des intégrales de la somme diverge, alors

$\displaystyle\int_{-\infty}^{+\infty} \frac{x\,dx}{x^2+1}$ diverge.

RÉPONSE

a) $\displaystyle\int_2^{+\infty} \frac{dx}{x\ln^2 x} = \frac{1}{\ln 2}$

b) $\displaystyle\int_{-\infty}^0 e^x \sin x\,dx = -\frac{1}{2}$

c) $\displaystyle\int_{-\infty}^{+\infty} \frac{dx}{x^2+9} = \frac{\pi}{3}$

d) $\displaystyle\int_{-\infty}^{+\infty} \frac{x\,dx}{x^2+1}$ diverge

39. **Trouver le volume du solide engendré par la rotation autour de l'axe des x de la surface délimitée par l'axe des x et la courbe** $y = e^{-|x|}$.

SOLUTION

Nous trouvons ce volume en utilisant la formule (voir figure 41)

$$V = \pi\int_a^b f^2(x)\,dx = \pi\int_{-\infty}^{+\infty} e^{-2|x|}\,dx.$$

Par définition

$$\int_{-\infty}^{+\infty} e^{-2|x|}\,dx = \int_{-\infty}^0 e^{2x}\,dx + \int_0^{+\infty} e^{-2x}\,dx$$

$$= \lim_{a\to-\infty}\int_a^0 e^{2x}\,dx + \lim_{b\to+\infty}\int_0^b e^{-2x}\,dx.$$

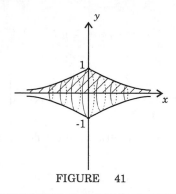

FIGURE   41

REMARQUE

Nous avons choisi le point de partage $x = 0$, car

$$|x| = \begin{cases} -x & \text{si} \quad x < 0 \\ x & \text{si} \quad x \geq 0 \end{cases}.$$

De cette manière, la valeur absolue n'apparaît plus dans nos expressions.

Puisque

$$\int_a^0 e^{2x}dx = \frac{1}{2}e^{2x}\Big|_a^0 = \frac{1}{2} - \frac{1}{2}e^{2a}$$

et

$$\int_0^b e^{-2x}dx = -\frac{1}{2}e^{-2x}\Big|_0^b = -\frac{1}{2}e^{-2b} + \frac{1}{2},$$

alors

$$\int_{-\infty}^{+\infty} e^{-2|x|}dx = \lim_{a \to -\infty}\left(\frac{1}{2} - \frac{1}{2}e^{2a}\right) + \lim_{b \to +\infty}\left(-\frac{1}{2}e^{-2b} + \frac{1}{2}\right) = \frac{1}{2} + \frac{1}{2} = 1.$$

Le volume du solide est donc

$$V = \pi\int_{-\infty}^{+\infty} e^{-2|x|}dx = \pi.$$

RÉPONSE

$$V = \pi$$

40. Évaluer, si possible, les intégrales suivantes :

---

a) $\displaystyle\int_2^6 \frac{dx}{\sqrt{x-2}}$ b) $\displaystyle\int_{-1}^1 \frac{dx}{x^2}$

c) $\displaystyle\int_0^{+\infty} \frac{dx}{\sqrt{x}}$ d) $\displaystyle\int_{-\infty}^{-1} \frac{dx}{x\sqrt{x^2-1}}$

SOLUTION

a) $\displaystyle\int_2^6 \frac{dx}{\sqrt{x-2}}$

La fonction à intégrer est discontinue par fuite à l'infini au point $x = 2$. Par définition

$$\int_2^6 \frac{dx}{\sqrt{x-2}} = \lim_{a \to 2^+} \int_a^6 \frac{dx}{\sqrt{x-2}}.$$

Nous avons

$$\int_a^6 \frac{dx}{\sqrt{x-2}} = 2\sqrt{x-2}\,\Big|_a^6 = 4 - 2\sqrt{a-2}.$$

Donc

$$\int_2^6 \frac{dx}{\sqrt{x-2}} = \lim_{a \to 2^+} \left(4 - 2\sqrt{a-2}\right) = 4.$$

b) $\displaystyle\int_{-1}^1 \frac{dx}{x^2}$

L'intégrande est discontinue en $x = 0$ (valeur comprise entre les bornes d'intégration $a = -1$ et $b = 1$) (voir figure 42).

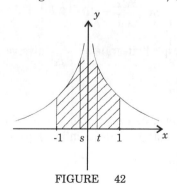

FIGURE   42

Nous avons

$$\int_{-1}^{1} \frac{dx}{x^2} = \int_{-1}^{0} \frac{dx}{x^2} + \int_{0}^{1} \frac{dx}{x^2} = \lim_{s \to 0^-} \int_{-1}^{s} \frac{dx}{x^2} + \lim_{t \to 0^+} \int_{t}^{1} \frac{dx}{x^2}$$

$$= \lim_{s \to 0^-} \left(-\frac{1}{x} \Big|_{-1}^{s} \right) + \lim_{t \to 0^+} \left(-\frac{1}{x} \Big|_{t}^{1} \right)$$

$$= \lim_{s \to 0^-} \left(-\frac{1}{s} - 1 \right) + \lim_{t \to 0^+} \left(-1 + \frac{1}{t} \right) = (+\infty) + (+\infty) = +\infty \ .$$

Par conséquent, l'intégrale $\int_{-1}^{1} \frac{dx}{x^2}$ diverge.

c) $\int_{0}^{+\infty} \frac{dx}{\sqrt{x}}$

L'intégrande est discontinue au point $x = 0$. De plus, la borne supérieure est infinie. Nous écrivons

$$\int_{0}^{+\infty} \frac{dx}{\sqrt{x}} = \int_{0}^{1} \frac{dx}{\sqrt{x}} + \int_{1}^{+\infty} \frac{dx}{\sqrt{x}} \ ,$$

le point de partage ayant été choisi arbitrairement (voir la solution de l'exercice 38 c).
Puisque

$$\int_{0}^{1} \frac{dx}{\sqrt{x}} = \lim_{a \to 0^+} \int_{a}^{1} \frac{dx}{\sqrt{x}} = \lim_{a \to 0^+} \left(2\sqrt{x} \Big|_{a}^{1} \right) = \lim_{a \to 0^+} \left(2 - 2\sqrt{a} \right) = 2$$

et

$$\int_{1}^{+\infty} \frac{dx}{\sqrt{x}} = \lim_{b \to +\infty} \int_{1}^{b} \frac{dx}{\sqrt{x}} = \lim_{b \to +\infty} \left(2\sqrt{x} \Big|_{1}^{b} \right) = \lim_{b \to +\infty} \left(2\sqrt{b} - 2 \right) = +\infty \ ,$$

il est clair que l'intégrale $\int_{0}^{+\infty} \frac{dx}{\sqrt{x}}$ diverge.

d) $\int_{-\infty}^{-1} \frac{dx}{x\sqrt{x^2 - 1}}$

La borne inférieure est infinie. De plus, la fonction à intégrer est discontinue par fuite à l'infini au point $x = -1$. Écrivons

$$\int_{-\infty}^{-1} \frac{dx}{x\sqrt{x^2 - 1}} = \int_{-\infty}^{-2} \frac{dx}{x\sqrt{x^2 - 1}} + \int_{-2}^{-1} \frac{dx}{x\sqrt{x^2 - 1}}$$

$$= \lim_{a \to -\infty} \int_{a}^{-2} \frac{dx}{x\sqrt{x^2 - 1}} + \lim_{b \to -1^-} \int_{-2}^{b} \frac{dx}{x\sqrt{x^2 - 1}} \ .$$

Nous devons calculer l'intégrale indéfinie $\int \dfrac{dx}{x\sqrt{x^2-1}}$.

Posons $u = \sqrt{x^2-1}$, alors $du = \dfrac{x\,dx}{\sqrt{x^2-1}}$.

D'où

$$\frac{du}{x^2} = \frac{dx}{x\sqrt{x^2-1}}$$

$$\frac{du}{u^2+1} = \frac{dx}{x\sqrt{x^2-1}} \ .$$

Donc

$$\int \frac{dx}{x\sqrt{x^2-1}} = \int \frac{du}{u^2+1} = \arctan u + C = \arctan\sqrt{x^2-1} + C \ .$$

En calculant l'intégrale indéfinie par substitution, nous revenons toujours à la variable initiale.

Ainsi

$$\int_{-\infty}^{-1} \frac{dx}{x\sqrt{x^2-1}} = \lim_{a\to-\infty}\left(\arctan\sqrt{x^2-1}\,\Big|_{a}^{-2} \right)$$

$$+ \lim_{b\to-1^-}\left(\arctan\sqrt{x^2-1}\,\Big|_{-2}^{b} \right)$$

$$= \lim_{a\to-\infty}\left(\arctan\sqrt{3} - \arctan\sqrt{a^2-1} \right)$$

$$+ \lim_{b\to-1^-}\left(\arctan\sqrt{b^2-1} - \arctan\sqrt{3} \right)$$

$$= \arctan\sqrt{3} - \frac{\pi}{2} + 0 - \arctan\sqrt{3} = -\frac{\pi}{2} \ .$$

RÉPONSE

$a)$ $\int_{2}^{6} \dfrac{dx}{\sqrt{x-2}} = 4$

b) $\int_{-1}^{1} \dfrac{dx}{x^2}$ diverge

c) $\int_{0}^{+\infty} \dfrac{dx}{\sqrt{x}}$ diverge

d) $\int_{-\infty}^{-1} \dfrac{dx}{x\sqrt{x^2-1}} = -\dfrac{\pi}{2}$

RÈGLE DE L'HOSPITAL

FORME INDÉTERMINÉE $\left[\dfrac{0}{0}\right]$

- Soient f et g deux fonctions continues et dérivables dans un voisinage troué $V_0(a)$ de a.

  Si $g(x) \neq 0$ pour tout $x \in V_0(a)$ et si

  1. $\displaystyle\lim_{x \to a} f(x) = \lim_{x \to a} g(x) = 0$

  2. $\displaystyle\lim_{x \to a} \frac{f'(x)}{g'(x)}$ existe ou est infinie,

  alors $\displaystyle\lim_{x \to a} \frac{f(x)}{g(x)} = \lim_{x \to a} \frac{f'(x)}{g'(x)}$.

- Soient f et g deux fonctions continues et dérivables sur l'intervalle $[a, +\infty[$ (ou $]-\infty, a]$).

  Si $g(x) \neq 0$ pour tout $x \in [a, +\infty[$ ($x \in]-\infty, a]$) et si

  1. $\displaystyle\lim_{x \to +\infty(-\infty)} f(x) = \lim_{x \to +\infty(-\infty)} g(x) = 0$

  2. $\displaystyle\lim_{x \to +\infty(-\infty)} \frac{f'(x)}{g'(x)}$ existe ou est infinie,

  alors $\displaystyle\lim_{x \to +\infty(-\infty)} \frac{f(x)}{g(x)} = \lim_{x \to +\infty(-\infty)} \frac{f'(x)}{g'(x)}$.

FORME INDÉTERMINÉE $\left[\dfrac{\infty}{\infty}\right]$

- La conclusion de la règle de l'Hospital reste inchangée si l'hypothèse 1 est remplacée par

  $\displaystyle\lim_{x \to a} f(x) = \pm\infty$ et $\displaystyle\lim_{x \to a} g(x) = \pm\infty$

  ou $\displaystyle\lim_{x \to -\infty} f(x) = \pm\infty$ et $\displaystyle\lim_{x \to -\infty} g(x) = \pm\infty$

$$\text{ou } \lim_{x \to +\infty} f(x) = \pm\infty \text{ et } \lim_{x \to +\infty} g(x) = \pm\infty.$$

Exercices

41. Pour calculer

$$\lim_{x \to +\infty} \frac{x + \sin x}{x},$$

nous avons appliqué les deux méthodes ci-dessous. Quelle est la mauvaise méthode? Expliquez pourquoi.

1ʳᵉ méthode

La limite est de la forme indéterminée $\left[\dfrac{\infty}{\infty}\right]$. Nous appliquons la règle de l'Hospital.

$$\lim_{x \to +\infty} \frac{x + \sin x}{x} = \lim_{x \to +\infty} \frac{(x + \sin x)'}{x'} = \lim_{x \to +\infty} \frac{1 + \cos x}{1}$$

$$= \lim_{x \to +\infty} (1 + \cos x)$$

Cette dernière limite n'existe pas car $\lim\limits_{x \to +\infty} \cos x$ n'existe pas.

Ainsi $\lim\limits_{x \to +\infty} \dfrac{x + \sin x}{x}$ n'existe pas.

2ᵉ méthode

$$\lim_{x \to +\infty} \frac{x + \sin x}{x} = \lim_{x \to +\infty} \left(1 + \frac{\sin x}{x}\right) = 1 + 0 = 1$$

SOLUTION

1ʳᵉ méthode

Pour que la règle de l'Hospital s'applique, il faut absolument que

$\lim\limits_{x \to +\infty} \dfrac{f'(x)}{g'(x)}$ existe ou soit infinie. Dans notre cas,

$$\lim_{x \to +\infty} \frac{f'(x)}{g'(x)} = \lim_{x \to +\infty} \frac{(x + \sin x)'}{x'} \text{, n'existe pas. Donc la règle ne peut}$$

s'appliquer et notre conclusion est fausse.

 Si $\displaystyle\lim_{x \to a} \frac{f'(x)}{g'(x)}$ ($\displaystyle\lim_{x \to +\infty(-\infty)} \frac{f'(x)}{g'(x)}$) n'existe pas et n'est pas

infinie, alors la règle de l'Hospital ne peut s'appliquer.

2e méthode
Le calcul de la limite est bon.

 Il faut bien distinguer les deux limites suivantes :

$$\lim_{x \to 0} \frac{\sin x}{x} = 1 \text{ et } \lim_{x \to \pm\infty} \frac{\sin x}{x} = 0 \,.$$

RÉPONSE

La 1re méthode est mauvaise car la règle de l'Hospital ne peut s'appliquer.

42. Trouver l'erreur dans le calcul suivant :

$$\lim_{x \to -2} \frac{x^3 + 3x^2 + 2x}{x^2 - x - 6} = \lim_{x \to -2} \frac{3x^2 + 6x + 2}{2x - 1} = \lim_{x \to -2} \frac{6x + 6}{2} = -3 \,.$$

SOLUTION ET RÉPONSE

Ici, $f(x) = x^3 + 3x^2 + 2x$ et $g(x) = x^2 - x + 6$. Ces fonctions sont

continues dans $\mathbb{R}$ et $f(-2) = g(-2) = 0$. Donc la limite est de la

forme indéterminée $\left[\dfrac{0}{0}\right]$. Évaluons $\displaystyle\lim_{x \to -2} \frac{f'(x)}{g'(x)}$.

$$\lim_{x \to -2} = \frac{f'(x)}{g'(x)} = \lim_{x \to -2} \frac{\left(x^3 + 3x^2 + 2x\right)'}{\left(x^2 - x - 6\right)'}$$

$$= \lim_{x \to -2} \frac{3x^2 + 6x + 2}{2x - 1} = -\frac{2}{5}$$

Puisque cette limite existe, en appliquant la règle de l'Hospital, nous trouvons

$$\lim_{x \to -2} \frac{x^3 + 3x^2 + 2x}{x^2 - x - 6} = \lim_{x \to -2} \frac{\left(x^3 + 3x^2 + 2x\right)'}{\left(x^2 - x - 6\right)'} = -\frac{2}{5}.$$

L'erreur commise dans l'énoncé du problème est d'avoir appliqué la règle de l'Hospital sur $\displaystyle\lim_{x \to -2} \frac{3x^2 + 6x + 2}{2x - 1}$, alors que celle-ci n'était pas de la forme indéterminée.

Nous n'appliquons la règle de l'Hospital que dans le cas où la limite est de la forme indéterminée $\left[\dfrac{0}{0}\right]$ ou $\left[\dfrac{\infty}{\infty}\right]$. L'application de la règle de l'Hopital à une limite qui n'est pas de la forme indéterminée $\left[\dfrac{0}{0}\right]$ ou $\left[\dfrac{\infty}{\infty}\right]$ peut conduire à un faux résultat.

---

43. Appliquer la règle de l'Hospital pour évaluer les limites suivantes :

a) $\displaystyle\lim_{x \to 3} \frac{x^3 + x^2 - 10x - 6}{x^3 - 9x}$

b) $\displaystyle\lim_{x \to -\infty} \frac{2x^3 + x^2 - x + 2}{-3x^3 + 9x - 6}$

c) $\displaystyle\lim_{x \to 0} \frac{x - 2\sin\dfrac{1}{2}x}{1 - \cos 2x}$

d) $\displaystyle\lim_{x \to 0} \frac{e^{x^2} - 1}{\cos x - 1}$

e) $\displaystyle\lim_{x \to 0} \frac{e^x \sin x - x}{x^5 + 2x^2}$

f) $\displaystyle\lim_{x\to 0^+} \frac{\log \sin 3x}{\ln \sin x}$

SOLUTION

a) $\displaystyle\lim_{x\to 3} \frac{x^3 + x^2 - 10x - 6}{x^3 - 9x}$

Ici, $f(x) = x^3 + x^2 - 10x - 6$ et $g(x) = x^3 - 9x$. Ces deux fonctions sont continues dans $\mathbb{R}$ et $f(3) = g(3) = 0$. Donc la limite est de la forme indéterminée $\left[\dfrac{0}{0}\right]$.

En appliquant la règle de l'Hospital, nous trouvons

$$\lim_{x\to 3} \frac{f'(x)}{g'(x)} = \lim_{x\to 3} \frac{3x^2 + 2x - 10}{3x^2 - 9} = \frac{23}{18}.$$

Donc

$$\lim_{x\to 3} \frac{x^3 + x^2 - 10x - 6}{x^3 - 9x} = \lim_{x\to 3} \frac{\left(x^3 + x^2 - 10x - 6\right)'}{\left(x^3 - 9x\right)'} = \frac{23}{18}.$$

b) $\displaystyle\lim_{x\to -\infty} \frac{2x^3 + x^2 - x + 2}{-3x^3 + 9x - 6}$

Ici, $f(x) = 2x^2 + x^2 - x + 2$ et $g(x) = -3x^3 + 9x - 6$. Les fonctions f et g sont continues dans $\mathbb{R}$ et $\displaystyle\lim_{x\to -\infty} f(x) = -\infty$ et $\displaystyle\lim_{x\to -\infty} g(x) = +\infty$. La limite cherchée est donc de la forme indéterminée $\left[\dfrac{\infty}{\infty}\right]$.

Nous avons

$$\lim_{x\to -\infty} \frac{f'(x)}{g'(x)} = \lim_{x\to -\infty} \frac{6x^2 + 2x - 1}{-9x^2 + 9}.$$

Cette limite est aussi de la forme indéterminée $\left[\dfrac{\infty}{\infty}\right]$. Pour l'évaluer, il faut appliquer de nouveau la règle de l'Hospital.

Si nous appliquons plusieurs fois la règle de l'Hospital, nous pouvons procéder comme suit :

$$\lim_{x \to -\infty} \frac{2x^3 + x^2 - x + 2}{-3x^3 + 9x - 6} \overset{\left[\frac{\infty}{\infty}\right]}{\underset{H}{=}} \lim_{x \to -\infty} \frac{6x^2 + 2x - 1}{-9x^2 + 9}$$

$$\overset{\left[\frac{\infty}{\infty}\right]}{\underset{H}{=}} \lim_{x \to -\infty} \frac{12x + 2}{-18x} \overset{\left[\frac{\infty}{\infty}\right]}{\underset{H}{=}} \lim_{x \to -\infty} \frac{12}{-18} = -\frac{2}{3}.$$

Le tableau suivant permet de suivre le cheminement des opérations.

	expression	forme	limite
$\dfrac{f(x)}{g(x)}$	$\dfrac{2x^3 + x^2 - x + 2}{-3x^3 + 9x - 6}$	$\left[\dfrac{\infty}{\infty}\right]$	?
$\dfrac{f'(x)}{g'(x)}$	$\dfrac{6x^2 + 2x - 1}{-9x^2 + 9}$	$\left[\dfrac{\infty}{\infty}\right]$	?
$\dfrac{f''(x)}{g''(x)}$	$\dfrac{12x + 2}{-18x}$	$\left[\dfrac{\infty}{\infty}\right]$	?
$\dfrac{f^{(3)}(x)}{g^{(3)}(x)}$	$\dfrac{12}{-18}$	déterminée	$-\dfrac{2}{3}$

$c)$ $\quad \lim\limits_{x \to 0} \dfrac{x - 2\sin\frac{1}{2}x}{1 - \cos 2x}$

Vérifions la forme de la limite. Nous avons

$$\lim_{x \to 0} f(x) = \lim_{x \to 0}\left(x - 2\sin\frac{1}{2}x\right) = 0$$

et

$$\lim_{x \to 0} g(x) = \lim_{x \to 0}(1 - \cos 2x) = 0.$$

Donc

$$\lim_{x \to 0} \frac{x - 2\sin\frac{1}{2}x}{1 - \cos 2x} \overset{\left[\frac{0}{0}\right]}{\underset{H}{=}} \lim_{x \to 0} \frac{1 - \cos\frac{1}{2}x}{2\sin 2x} \overset{\left[\frac{0}{0}\right]}{\underset{H}{=}} \lim_{x \to 0} \frac{\frac{1}{2}\sin\frac{1}{2}x}{4\cos 2x} = \frac{0}{4} = 0.$$

d) $\displaystyle\lim_{x\to 0}\frac{e^{x^2}-1}{\cos x-1}$

Cette limite étant de la forme indéterminée $\left[\dfrac{0}{0}\right]$, calculons

$$\lim_{x\to 0}\frac{e^{x^2}-1}{\cos x-1}\overset{\left[\frac{0}{0}\right]}{\underset{H}{=}}\lim_{x\to 0}\frac{2xe^{x^2}}{-\sin x}\overset{\left[\frac{0}{0}\right]}{\underset{H}{=}}\lim_{x\to 0}\left(-2e^{x^2}\times\frac{x}{\sin x}\right).$$

Dans cette dernière limite, seul le facteur $\dfrac{x}{\sin x}$ est de la forme indéterminée $\left[\dfrac{0}{0}\right]$ quand x tend vers 0. En appliquant la règle de l'Hospital, nous trouvons

$$\lim_{x\to 0}\frac{x}{\sin x}\overset{\left[\frac{0}{0}\right]}{\underset{H}{=}}\lim_{x\to 0}\frac{1}{\cos x}=1\,.$$

Alors

$$\lim_{x\to 0}\frac{e^{x^2}-1}{\cos x-1}=\lim_{x\to 0}\left(-2e^{x^2}\right)\times\lim_{x\to 0}\frac{x}{\sin x}=-2\times 1=-2\,.$$

e) $\displaystyle\lim_{x\to 0}\frac{e^x\sin x-x}{x^5+2x^2}$

C'est une forme indéterminée $\left[\dfrac{0}{0}\right]$. Calculons la limite à l'aide du tableau (comparer exercice 43 b).

	expression	forme	limite
$\dfrac{f(x)}{g(x)}$	$\dfrac{e^x\sin x-x}{x^5+2x^2}$	$\left[\dfrac{0}{0}\right]$	?
$\dfrac{f\,'(x)}{g\,'(x)}$	$\dfrac{e^x\sin x+e^x\cos x-1}{5x^4+4x}$	$\left[\dfrac{0}{0}\right]$	?
$\dfrac{f\,''(x)}{g\,''(x)}$	$\dfrac{e^x\sin x+e^x\cos x+e^x\cos x-e^x\sin x}{20x^3+4}$ $=\dfrac{2e^x\cos x}{20x^3+4}$	dét.	$\dfrac{1}{2}$

Donc

$$\lim_{x \to 0} \frac{e^x \sin x - x}{x^5 + 2x^2} = \frac{1}{2} \ .$$

f) $\displaystyle \lim_{x \to 0^+} \frac{\log \sin 3x}{\ln \sin x}$

C'est une forme indéterminée $\left[\dfrac{\infty}{\infty} \right]$. La règle de l'Hospital donne

$$\lim_{x \to 0^+} \frac{\log \sin 3x}{\ln \sin x} \overset{\left[\frac{\infty}{\infty}\right]}{\underset{H}{=}} \lim_{x \to 0^+} \frac{\dfrac{1}{\sin 3x \ln 10} 3 \cos 3x}{\dfrac{1}{\sin x} \cos x}$$

$$= \lim_{x \to 0^+} \frac{3 \cos 3x}{\cos x \ln 10} \times \frac{\sin x}{\sin 3x} \ .$$

Dans cette dernière limite, seul le facteur $\dfrac{\sin x}{\sin 3x}$ est de la forme indéterminée quand x tend vers 0^+. En utilisant la règle de l'Hospital, nous trouvons

$$\lim_{x \to 0^+} \frac{\sin x}{\sin 3x} \overset{\left[\frac{0}{0}\right]}{\underset{H}{=}} \lim_{x \to 0^+} \frac{\cos x}{3 \cos 3x} = \frac{1}{3} \ .$$

Donc

$$\lim_{x \to 0^+} \frac{\log \sin 3x}{\ln \sin x} = \lim_{x \to 0^+} \frac{3 \cos 3x}{\cos x \ln 10} \times \lim_{x \to 0^+} \frac{\sin x}{\sin 3x}$$

$$= \frac{3}{\ln 10} \times \frac{1}{3} = \frac{1}{\ln 10} \ .$$

Si le facteur responsable de l'indétermination n'avait pas été isolé, le calcul de la limite aurait été beaucoup plus compliqué.

RÉPONSE

a) $\displaystyle \lim_{x \to 3} \frac{x^3 + x^2 - 10x - 6}{x^3 - 9x} = \frac{23}{18}$

b) $\lim\limits_{x\to-\infty} \dfrac{2x^3 + x^2 - x + 2}{-3x^3 + 9x - 6} = -\dfrac{2}{3}$

c) $\lim\limits_{x\to 0} \dfrac{x - 2\sin\dfrac{1}{2}x}{1 - \cos 2x} = 0$

d) $\lim\limits_{x\to 0} \dfrac{e^{x^2} - 1}{\cos x - 1} = -2$

e) $\lim\limits_{x\to 0} \dfrac{e^x \sin x - x}{x^5 + 2x^2} = \dfrac{1}{2}$

f) $\lim\limits_{x\to 0^+} \dfrac{\log \sin 3x}{\ln \sin x} = \dfrac{1}{\ln 10}$

44. **Ramener les formes indéterminées ci-dessous à une forme** $\left[\dfrac{0}{0}\right]$ **ou** $\left[\dfrac{\infty}{\infty}\right]$.

a) $\lim\limits_{x\to 0}\left(\cot^2 x - \dfrac{1}{x^2}\right)$

b) $\lim\limits_{x\to 0}\left(\dfrac{1}{x^2} - \dfrac{1}{x\tan x}\right)$

c) $\lim\limits_{x\to \pi/2}\left(x - \dfrac{\pi}{2}\right)\tan x$

d) $\lim\limits_{x\to 0^+} \sqrt{x}\,\ln x$

e) $\lim\limits_{x\to +\infty} x^{1/x}$

f) $\lim\limits_{x\to +\infty}\left(\dfrac{\pi}{2} - \arctan x\right)^{1/\ln x}$

g) $\lim\limits_{x\to 0}\left(\dfrac{\sin x}{x}\right)^{1/1 \cos x}$

SOLUTION ET RÉPONSE

REMARQUE

1. $\lim\limits_{x \to x_0} \left[f(x) - g(x) \right]$ où $\lim\limits_{x \to x_0} f(x) = \lim\limits_{x \to x_0} g(x) = +\infty$ est de la forme indéterminée $\left[\infty - \infty \right]$.

2. $\lim\limits_{x \to x_0} \left[f(x) \times g(x) \right]$ où $\lim\limits_{x \to x_0} f(x) = 0$ et

   $\lim\limits_{x \to x_0} g(x) = \pm\infty$ est de la forme indéterminée $\left[0 \times \infty \right]$.

3. $\lim\limits_{x \to x_0} \left[f(x) \right]^{g(x)}$ où

   a) $\lim\limits_{x \to x_0} f(x) = 1$ et $\lim\limits_{x \to x_0} g(x) = \pm\infty$ est de la forme

   indéterminée $\left[1^{\infty} \right]$.

   b) $\lim\limits_{x \to x_0} f(x) = 0^+$ et $\lim\limits_{x \to x_0} g(x) = 0$ est de la forme

   indéterminée $\left[\left(0^+ \right)^0 \right]$.

   c) $\lim\limits_{x \to x_0} f(x) = +\infty$ et $\lim\limits_{x \to x_0} g(x) = 0$ est de la forme

   indéterminée $\left[\left(+\infty \right)^0 \right]$.

Nous pouvons calculer ces limites en les ramenant à la forme indéterminée $\left[\dfrac{0}{0} \right]$ ou $\left[\dfrac{\infty}{\infty} \right]$ (voir le tableau ci-dessous).

expression	forme	expression transformée	forme
$f(x) - g(x)$	$[\infty - \infty]$	$\dfrac{\dfrac{1}{g(x)} - \dfrac{1}{f(x)}}{\dfrac{1}{f(x)\,g(x)}}$	$\left[\dfrac{0}{0} \right]$
$f(x) \times g(x)$	$[0 \times \infty]$	$\dfrac{f(x)}{\dfrac{1}{g(x)}}$	$\left[\dfrac{0}{0} \right]$
		$\dfrac{g(x)}{\dfrac{1}{f(x)}}$	$\left[\dfrac{\infty}{\infty} \right]$

expression	forme	expression transformée	forme
$[f(x)]^{g(x)}$	$[1^\infty]$	$\exp\left[\dfrac{\ln f(x)}{\dfrac{1}{g(x)}}\right]$	$\exp\left[\dfrac{0}{0}\right]$
$[f(x)]^{g(x)}$	$\left[(0^+)^0\right]$	$\exp\left[\dfrac{\ln f(x)}{\dfrac{1}{g(x)}}\right]$	$\exp\left[\dfrac{\infty}{\infty}\right]$
$[f(x)]^{g(x)}$	$\left[(+\infty)^0\right]$	$\exp\left[\dfrac{\ln f(x)}{\dfrac{1}{g(x)}}\right]$	$\exp\left[\dfrac{\infty}{\infty}\right]$

$a)$ $\quad \lim\limits_{x \to 0}\left(\cot^2 x - \dfrac{1}{x^2}\right)$

Cette limite est de la forme indéterminée $[\infty - \infty]$ avec

$f(x) = \cot^2 x$ et $g(x) = \dfrac{1}{x^2}$.

À l'aide du tableau, nous trouvons

$$\cot^2 x - \dfrac{1}{x^2} = \dfrac{\dfrac{1}{\left(\dfrac{1}{x^2}\right)} - \dfrac{1}{\cot^2 x}}{\dfrac{1}{\cot^2 x\left(\dfrac{1}{x^2}\right)}} = \dfrac{x^2 - \dfrac{1}{\cot^2 x}}{\dfrac{x^2}{\cot^2 x}} = \dfrac{x^2 - \tan^2 x}{x^2 \tan^2 x}.$$

Ainsi

$$\lim\limits_{x \to 0}\left(\cot^2 x - \dfrac{1}{x^2}\right) = \lim\limits_{x \to 0} \dfrac{x^2 - \tan^2 x}{x^2 \tan^2 x},$$

cette dernière limite étant de la forme indéterminée $\left[\dfrac{0}{0}\right]$.

b) $\lim\limits_{x \to 0}\left(\dfrac{1}{x^2} - \dfrac{1}{x \tan x}\right)$

Cette limite est de la forme indéterminée $[\infty - \infty]$ avec

$f(x) = \dfrac{1}{x^2}$ et $g(x) = \dfrac{1}{x \tan x}$.

À l'aide du tableau, nous trouvons

$\dfrac{1}{x^2} - \dfrac{1}{x \tan x} = \dfrac{x \tan x - x^2}{x^3 \tan x} = \dfrac{\tan x - x}{x^2 \tan x}$.

Ainsi

$\lim\limits_{x \to 0}\left(\dfrac{1}{x^2} - \dfrac{1}{x \tan x}\right) = \lim\limits_{x \to 0}\left(\dfrac{\tan x - x}{x^2 \tan x}\right),$

cette dernière limite étant de la forme $\left[\dfrac{0}{0}\right]$.

c) $\lim\limits_{x \to \pi/2}\left(x - \dfrac{\pi}{2}\right)\tan x$

Cette limite est de la forme indéterminée $[0 \times \infty]$ avec

$f(x) = x - \dfrac{\pi}{2}$ et $g(x) = \tan x$.

À l'aide du tableau, nous trouvons

$\left(x - \dfrac{\pi}{2}\right)\tan x = \dfrac{x - \dfrac{\pi}{2}}{\dfrac{1}{\tan x}} = \dfrac{x - \dfrac{\pi}{2}}{\cot x}$.

Ainsi

$\lim\limits_{x \to \pi/2}\left(x - \dfrac{\pi}{2}\right)\tan x = \lim\limits_{x \to \pi/2}\dfrac{x - \dfrac{\pi}{2}}{\cot x},$

cette dernière limite étant de la forme indéterminée $\left[\dfrac{0}{0}\right]$.

d) $\lim\limits_{x \to 0^+} \sqrt{x} \ln x$

Cette limite est de la forme indéterminée $[0 \times \infty]$ avec

$f(x) = \sqrt{x}$ et $g(x) = \ln x$.

À l'aide du tableau, nous avons

$$\sqrt{x} \ln x = \frac{\ln x}{\dfrac{1}{\sqrt{x}}} .$$

Ainsi

$$\lim_{x \to 0^+} \sqrt{x} \ln x = \lim_{x \to 0^+} \frac{\ln x}{\dfrac{1}{\sqrt{x}}} ,$$

cette dernière limite étant de la forme $\left[\dfrac{\infty}{\infty}\right]$.

e) $\displaystyle\lim_{x \to +\infty} x^{1/x}$

Cette limite est de la forme indéterminée $\left[(+\infty)^0\right]$ avec

$$f(x) = x \text{ et } g(x) = \frac{1}{x} .$$

À l'aide du tableau, nous trouvons $x^{1/x} = e^{\ln x / x}$.

 REMARQUE   En appliquant la propriété des logarithmes $e^{\ln a} = a$, nous pouvons écrire

$$x^{1/x} = e^{\ln\left(x^{1/x}\right)} = e^{1/x \ln x} = e^{\ln x / x} .$$

Ainsi

$$\lim_{x \to +\infty} x^{1/x} = \lim_{x \to +\infty} e^{\ln x / x} = e^{\displaystyle\lim_{x \to +\infty}\left(\ln x / x\right)} ,$$

cette dernière limite étant de la forme $\left[\dfrac{\infty}{\infty}\right]$.

f) $\displaystyle\lim_{x \to +\infty}\left(\frac{\pi}{2} - \arctan x\right)^{1/\ln x}$

Cette limite est de la forme indéterminée $\left[\left(0^+\right)^0\right]$ avec

$$f(x) = \frac{\pi}{2} - \arctan x \ \text{ et } \ g(x) = \frac{1}{\ln x}.$$

À l'aide du tableau, nous avons

$$\left(\frac{\pi}{2} - \arctan x\right)^{1/\ln x} = e^{\frac{\ln\left(\frac{\pi}{2} - \arctan x\right)}{\ln x}}.$$

Ainsi

$$\lim_{x \to +\infty}\left(\frac{\pi}{2} - \arctan x\right)^{1/\ln x} = \lim_{x \to +\infty} e^{\frac{\ln\left(\frac{\pi}{2} - \arctan x\right)}{\ln x}},$$

où l'exposant est de la forme indéterminée $\left[\dfrac{\infty}{\infty}\right]$ quand x tend

vers $+\infty$.

$g)$ $\displaystyle\lim_{x \to 0}\left(\frac{\sin x}{x}\right)^{1/1-\cos x}$

La limite est de la forme indéterminée $\left[1^\infty\right]$ avec

$$f(x) = \frac{\sin x}{x} \ \text{ et } \ g(x) = \frac{1}{1 - \cos x}.$$

À l'aide du tableau, nous trouvons

$$\left(\frac{\sin x}{x}\right)^{\frac{1}{1-\cos x}} = e^{\frac{\ln\left(\frac{\sin x}{x}\right)}{1 - \cos x}}.$$

Ainsi

$$\lim_{x \to 0}\left(\frac{\sin x}{x}\right)^{\frac{1}{1-\cos x}} = \lim_{x \to 0} e^{\frac{\ln\left(\frac{\sin x}{x}\right)}{1 - \cos x}}$$

où l'exposant est de la forme $\left[\dfrac{0}{0}\right]$ quand x tend vers 0.

45. Évaluer les intégrales impropres ci-dessous

$a)$ $\displaystyle\int_{-\infty}^{0} x\, e^x dx$

$b)$ $\displaystyle\int_{0}^{1} x \ln x \, dx$

SOLUTION

$a)$ $\int_{-\infty}^{0} x\,e^{x}dx$

La borne inférieure de l'intégrale étant infinie, nous avons par définition

$$\int_{-\infty}^{0} x\,e^{x}\,dx = \lim_{a\to-\infty}\int_{a}^{0} x\,e^{x}dx\;.$$

Calculons $\int_{a}^{0} x\,e^{x}dx$.

Posons

$u = x \qquad\qquad dv = e^{x}dx$

$du = dx \qquad\qquad v = e^{x}$.

Alors

$$\int_{a}^{0} x\,e^{x}dx = x\,e^{x}\Big|_{a}^{0} - \int_{a}^{0} e^{x}dx = -ae^{a} - e^{x}\Big|_{a}^{0} = -ae^{a} - 1 + e^{a}\;.$$

Donc

$$\int_{-\infty}^{0} x\,e^{x}dx = \lim_{a\to-\infty}\left(-ae^{a} + e^{a} - 1\right)\;.$$

La limite

$$\lim_{a\to-\infty} a\,e^{a}$$

est de la forme indéterminée $\left[\infty\times 0\right]$. Elle peut être ramenée à

la forme $\left[\dfrac{\infty}{\infty}\right]$ et évaluée à l'aide de la règle de l'Hospital comme

suit :

$$\lim_{a\to-\infty} a\,e^{a} = \lim_{a\to-\infty}\frac{a}{e^{-a}} \overset{\left[\frac{\infty}{\infty}\right]}{\underset{\text{H}}{=}} \lim_{a\to-\infty}\frac{1}{-e^{-a}} = 0\;.$$

Ainsi,

$$\int_{-\infty}^{0} x\,e^{x}dx = \lim_{a\to-\infty}\left(-a\,e^{a} + e^{a} - 1\right) = 0 + 0 - 1 = -1\;.$$

$b)$ $\int_{0}^{1} x\ln x\,dx$

L'intégrande étant discontinue au point $x = 0$, par définition nous avons

$$\int_{0}^{1} x\ln x\,dx = \lim_{a\to 0^{+}}\int_{a}^{1} x\ln x\,dx\;.$$

Calculons $\int_a^1 x \ln x \, dx$.

Posons

$u = \ln x \qquad\qquad dv = x \, dx$

$du = \dfrac{dx}{x} \qquad\qquad v = \dfrac{x^2}{2}$.

Alors

$$\int_a^1 x \ln x \, dx = \left.\frac{x^2}{2} \ln x \right|_a^1 - \frac{1}{2}\int_a^1 x \, dx = -\frac{a^2}{2}\ln a - \frac{1}{2}\left.\frac{x^2}{2}\right|_a^1$$

$$= -\frac{1}{2}a^2 \ln a - \frac{1}{4} + \frac{a^2}{4}.$$

Donc

$$\int_0^1 x \ln x \, dx = \lim_{a \to 0^+}\left(-\frac{1}{2}a^2 \ln a - \frac{1}{4} + \frac{a^2}{4}\right).$$

La limite $\lim\limits_{a \to 0^+} a^2 \ln a$ est de la forme indéterminée $[0 \times \infty]$.

Ramenons cette limite à la forme $\left[\dfrac{\infty}{\infty}\right]$ et appliquons la règle de l'Hospital. Nous avons

$$\lim_{a \to 0^+} a^2 \ln a \overset{[0\times\infty]}{=} \lim_{a \to 0^+} \frac{\ln a}{a^{-2}} \overset{\left[\frac{\infty}{\infty}\right]}{\underset{H}{=}} \lim_{a \to 0^+} \frac{1/a}{-2a^{-3}} = \lim_{a \to 0^+} \frac{a^2}{-2} = 0.$$

Ainsi

$$\int_0^1 x \ln x \, dx = -\frac{1}{4}$$

RÉPONSE

a) $\quad \displaystyle\int_{-\infty}^0 x \, e^x dx = -1$

b) $\quad \displaystyle\int_0^1 x \ln x \, dx = -\frac{1}{4}$

CHAPITRE

V

Suites et séries

SUITES NUMÉRIQUES

- **SUITE :** Une suite est une fonction f dont le domaine est l'ensemble des entiers positifs.

  Si $f(n) = a_n$, nous notons la suite ainsi :

  $\{a_n\} = \{a_1, a_2, a_3, \ldots, a_n, \ldots\}$ où a_n est le terme général de la suite.

  Le graphique d'une suite n'est qu'une succession de points isolés (voir figure 43).

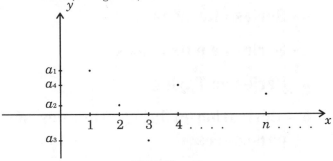

FIGURE 43

- **CONVERGENCE D'UNE SUITE :** Nous disons qu'une suite $\{a_n\}$ converge vers le nombre fini a, si pour tout $\varepsilon > 0$, il existe un nombre naturel n_0 tel que si $n \geq n_0$, alors $|a_n - a| < \varepsilon$.

  Nous écrivons alors $\lim\limits_{n \to +\infty} a_n = a$.

  Nous disons qu'une suite $\{a_n\}$ diverge vers $+\infty(-\infty)$ si pour tout nombre positif M, aussi grand soit-il, il existe un nombre naturel n_0 tel que si $n \geq n_0$, alors $a_n > M\,(a_n < -M)$.

  Nous écrivons alors $\lim\limits_{n \to +\infty} a_n = +\infty(-\infty)$.

- **PROPRIÉTÉS DES SUITES CONVERGENTES**

1. Soit $\{a_n\}$ et $\{b_n\}$ deux suites convergentes et soit c une constante.

   Posons $\lim\limits_{n\to+\infty} a_n = a$ et $\lim\limits_{n\to+\infty} b_n = b$. Alors

   a) $\lim\limits_{n\to+\infty} c\,a_n = c \lim\limits_{n\to+\infty} a_n = c\,a$

   b) $\lim\limits_{n\to+\infty} \left(a_n \pm b_n\right) = \lim\limits_{n\to+\infty} a_n \pm \lim\limits_{n\to+\infty} b_n = a \pm b$

   c) $\lim\limits_{n\to+\infty} \left(a_n \times b_n\right) = \lim\limits_{n\to+\infty} a_n \times \lim\limits_{n\to+\infty} b_n = a \times b$

   d) $\lim\limits_{n\to+\infty} \dfrac{a_n}{b_n} = \dfrac{\lim\limits_{n\to+\infty} a_n}{\lim\limits_{n\to+\infty} b_n} = \dfrac{a}{b}$ si $b \neq 0$ et $b_n \neq 0$ pour

   tout $n \in N$.

2. Si $a_n \leq b_n \leq c_n$ pour tout $n \in N$ et

   $\lim\limits_{n\to+\infty} a_n = \lim\limits_{n\to+\infty} c_n = a$, alors $\lim\limits_{n\to+\infty} b_n = a$.

3. Soit $\{a_n\}$ une suite convergente et f une fonction continue en $a = \lim\limits_{n\to+\infty} a_n$, alors

   $$\lim\limits_{n\to+\infty} f(a_n) = f\!\left(\lim\limits_{n\to+\infty} a_n\right) = f(a).$$

4. Soit f une fonction définie dans $\mathbb{R}^+$.

   Si $\lim\limits_{n\to+\infty} f(x) = L$ et $a_n = f(n)$, alors $\lim\limits_{n\to+\infty} a_n = L$

   (voir figure 44)

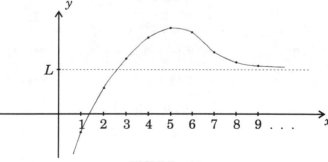

FIGURE   44

5. $\lim\limits_{n \to +\infty} a^n = \begin{cases} 0 & \text{si} \quad |a| < 1 \\ 1 & \text{si} \quad a = 1 \\ \text{n'existe pas} & \text{si} \quad a = -1 \text{ ou } |a| > 1 \end{cases}$

6. $\lim\limits_{n \to +\infty} \left(1 + \dfrac{1}{n}\right)^n = e$. Le nombre irrationnel $e = 2{,}7182...$

- **TABLEAU RÉSUMÉ SUR LES LIMITES DES SUITES**

$\lim\limits_{n \to +\infty} a_n$	opération	$\lim\limits_{n \to +\infty} b_n$	limite résultante
a		b	$a + b$
$+\infty(-\infty)$		$+\infty(-\infty)$	$+\infty(-\infty)$
a	$+$	$+\infty(-\infty)$	$+\infty(-\infty)$
$+\infty$		$-\infty$	forme ind. $[\infty - \infty]$
a		b	$a \times b$
$+\infty$		$+\infty(-\infty)$	$+\infty(-\infty)$
$a > 0$	$\times$	$+\infty(-\infty)$	$+\infty(-\infty)$
$a < 0$		$+\infty(-\infty)$	$-\infty(+\infty)$
0		$\pm\infty$	forme ind. $[0 \times \infty]$
a		$b \neq 0$ et $b_n \neq 0$	$\dfrac{a}{b}$
a		$\pm\infty$	0
$a > 0$		$0^+(0^-)$ et $b_n \neq 0$	$+\infty(-\infty)$
$a < 0$		$0^+(0^-)$ et $b_n \neq 0$	$-\infty(+\infty)$
$+\infty(-\infty)$	$\div$	$b > 0$ et $b_n \neq 0$	$+\infty(-\infty)$
$+\infty(-\infty)$		$b < 0$ et $b_n \neq 0$	$-\infty(+\infty)$
$\pm\infty$		$\pm\infty$	forme ind. $\left[\dfrac{\infty}{\infty}\right]$
0		0 et $b_n \neq 0$	forme ind. $\left[\dfrac{0}{0}\right]$

Exercices

46. Évaluer les limites suivantes.

a) $\displaystyle\lim_{n\to+\infty} \frac{3n^3 + 2n + 1}{5n^3 + 2}$

b) $\displaystyle\lim_{n\to+\infty} \left(\frac{1 + 2 + 3 + \ldots + n}{n - 3} - n \right)$

c) $\displaystyle\lim_{n\to+\infty} \left(\sin\sqrt{n+1} - \sin\sqrt{n} \right)$

d) $\displaystyle\lim_{n\to+\infty} \left(\frac{1}{\sqrt{n^2 + 1}} + \ldots + \frac{1}{\sqrt{n^2 + n}} \right)$

e) $\displaystyle\lim_{n\to+\infty} 2^n \sin\left(\frac{1}{2^n} \right)$

f) $\displaystyle\lim_{n\to+\infty} \left(\frac{n + 1}{n} \right)^{2n}$

g) $\displaystyle\lim_{n\to+\infty} \frac{2^n + 1}{3^n + 1}$

SOLUTION

a) $\displaystyle\lim_{n\to+\infty} \frac{3n^3 + 2n + 1}{5n^3 + 2}$

La limite est de la forme indéterminée $\left[\dfrac{\infty}{\infty} \right]$. En divisant le numérateur et le dénominateur par n^3, nous obtenons

$$\lim_{n\to+\infty} \frac{3n^3 + 2n + 1}{5n^3 + 2} = \lim_{n\to+\infty} \frac{3 + \dfrac{2}{n^2} + \dfrac{1}{n^3}}{5 + \dfrac{2}{n^3}} = \frac{3 + 0 + 0}{5 + 0} = \frac{3}{5}.$$

 REMARQUE   En vertu de la propriété 4, le calcul de la limite d'une suite $\{a_n\}$ se fait comme le calcul de la limite d'une fonction réelle à l'infini.

---

b) $\quad \lim\limits_{n \to +\infty} \left(\dfrac{1+2+3+...+n}{n-3} - n \right)$

En appliquant la formule $1+2+3+...+n = \sum\limits_{i=1}^{n} i = \dfrac{(n+1)n}{2}$,

nous obtenons

$$\lim\limits_{n \to +\infty} \left(\dfrac{1+2+3+...+n}{n-3} - n \right) = \lim\limits_{n \to +\infty} \left(\dfrac{(n+1)n}{2(n-3)} - n \right)$$

$$= \lim\limits_{n \to +\infty} \dfrac{(n+1)n - 2n(n-3)}{2(n-3)} = \lim\limits_{n \to +\infty} \dfrac{-n^2 + 7n}{2n-6}$$

qui est de la forme indéterminée $\left[\dfrac{\infty}{\infty} \right]$. Divisons le numérateur

et le dénominateur par n (la plus grande puissance de n au dénominateur). Nous obtenons

$$\lim\limits_{x \to +\infty} \dfrac{-n^2 + 7n}{2n-6} = \lim\limits_{x \to +\infty} \dfrac{-n+7}{2 - \dfrac{6}{n}} = -\infty \, .$$

Si nous avions divisé le numérateur et le dénominateur par la plus grande puissance de n au numérateur, soit n^2, alors la limite résultante aurait été de la forme $\left[\dfrac{k}{0} \right]$. Dans ce cas, il aurait été important de vérifier si nous avions 0^+ ou 0^- au dénominateur.

---

c) $\quad \lim\limits_{n \to +\infty} \left(\sin\sqrt{n+1} - \sin\sqrt{n} \right)$

Nous ne pouvons pas déterminer la forme de cette limite car $\lim\limits_{x \to +\infty} \sin\sqrt{n+1}$ et $\lim\limits_{x \to +\infty} \sin\sqrt{n}$ n'existent pas.

La suite $\{a_n \pm b_n\}$ peut converger même si les deux suites $\{a_n\}$ et $\{b_n\}$ divergent.

À l'aide de la formule trigonométrique

$$\sin\alpha - \sin\beta = 2\sin\left(\frac{\alpha-\beta}{2}\right)\cos\left(\frac{\alpha+\beta}{2}\right),$$

nous trouvons

$$\lim_{n\to+\infty}\left(\sin\sqrt{n+1} - \sin\sqrt{n}\right)$$

$$= \lim_{n\to+\infty} 2\sin\left(\frac{\sqrt{n+1}-\sqrt{n}}{2}\right)\cos\left(\frac{\sqrt{n+1}+\sqrt{n}}{2}\right).$$

Puisque

$$\frac{\sqrt{n+1}-\sqrt{n}}{2} = \frac{\sqrt{n+1}-\sqrt{n}}{2} \times \frac{\sqrt{n+1}+\sqrt{n}}{\sqrt{n+1}+\sqrt{n}}$$

$$= \frac{1}{2\left(\sqrt{n+1}+\sqrt{n}\right)} ,$$

alors

$$\lim_{n\to+\infty} \sin\left(\frac{\sqrt{n+1}-\sqrt{n}}{2}\right) = \lim_{n\to+\infty} \sin\left(\frac{1}{2\left(\sqrt{n+1}+\sqrt{n}\right)}\right)$$

$$= \sin 0 = 0 .$$

Nous avons $-1 \le \cos\left(\dfrac{\sqrt{n+1}+\sqrt{n}}{2}\right) \le 1$ pour tout $n \in N$.

En multipliant les membres de cette inéquation par

$2\sin\left(\dfrac{\sqrt{n+1}-\sqrt{n}}{2}\right)$, nous obtenons

$$-2\sin\left(\frac{\sqrt{n+1}-\sqrt{n}}{2}\right) \le$$

$$\le 2\sin\left(\frac{\sqrt{n+1}-\sqrt{n}}{2}\right)\cos\left(\frac{\sqrt{n+1}+\sqrt{n}}{2}\right) \le$$

$$\le 2\sin\left(\frac{\sqrt{n+1}-\sqrt{n}}{2}\right).$$

EMARQUE   Il est facile de vérifier que pour tout $n \in N$,

$$0 < \frac{1}{2\left(\sqrt{n+1} + \sqrt{n}\right)} \leq \frac{1}{2\left(\sqrt{2} + 1\right)} < \frac{\pi}{2} .$$

Par conséquent, $\sin\left(\dfrac{\sqrt{n+1} - \sqrt{n}}{2}\right)$ est toujours positif.

En utilisant la propriété 2, nous concluons

$$\lim_{n \to +\infty} 2\sin\left(\frac{\sqrt{n+1} - \sqrt{n}}{2}\right)\cos\left(\frac{\sqrt{n+1} + \sqrt{n}}{2}\right) = 0 .$$

d) $\lim\limits_{n \to +\infty}\left(\dfrac{1}{\sqrt{n^2 + 1}} + \ldots + \dfrac{1}{\sqrt{n^2 + n}}\right)$

Il est évident que $\sqrt{n^2 + 1} \leq \sqrt{n^2 + 2} \leq \ldots \leq \sqrt{n^2 + n}$, d'où

$$\frac{1}{\sqrt{n^2 + 1}} \geq \frac{1}{\sqrt{n^2 + 2}} \geq \ldots \geq \frac{1}{\sqrt{n^2 + n}} .$$

La suite de terme général

$$b_n = \frac{1}{\sqrt{n^2 + 1}} + \frac{1}{\sqrt{n^2 + 2}} + \ldots + \frac{1}{\sqrt{n^2 + n}}$$

est donc minorée par la suite de terme général

$$a_n = \frac{1}{\sqrt{n^2 + n}} + \frac{1}{\sqrt{n^2 + n}} + \ldots + \frac{1}{\sqrt{n^2 + n}}$$

et majorée par la suite de terme général

$$c_n = \frac{1}{\sqrt{n^2 + 1}} + \frac{1}{\sqrt{n^2 + 1}} + \ldots + \frac{1}{\sqrt{n^2 + 1}}$$

($a_n \leq b_n \leq c_n$ pour tout $n \in N$).

De plus,

$$\lim_{n \to +\infty} a_n = \lim_{n \to +\infty} \frac{n}{\sqrt{n^2 + n}} = 1$$

et

$$\lim_{n \to +\infty} c_n = \lim_{n \to +\infty} \frac{n}{\sqrt{n^2 + 1}} = 1$$

Donc, en vertu de la propriété 2,

$$\lim_{n \to +\infty} b_n = \lim_{n \to +\infty} \left(\frac{1}{\sqrt{n^2 + 1}} + \frac{1}{\sqrt{n^2 + 2}} + \ldots + \frac{1}{\sqrt{n^2 + n}} \right) = 1 .$$

e) $\quad \lim_{n \to +\infty} 2^n \sin\left(\frac{1}{2^n} \right)$

La limite est de la forme indéterminée $[0 \times \infty]$. Nous avons

$$\lim_{n \to +\infty} 2^n \sin\left(\frac{1}{2^n} \right) = \lim_{n \to +\infty} \frac{\sin\left(\dfrac{1}{2^n} \right)}{\dfrac{1}{2^n}} = 1$$

 REMARQUE   Dans ce calcul, nous avons utilisé le résultat
$$\lim_{x \to 0} \frac{\sin x}{x} = 1 .$$

f) $\quad \lim_{n \to +\infty} \left(\frac{n+1}{n} \right)^{2n}$

La limite est de la forme indéterminée $\left[1^\infty \right]$. En utilisant les propriétés 3 et 6, nous trouvons

$$\lim_{n \to +\infty} \left(\frac{n+1}{n} \right)^{2n} = \lim_{n \to +\infty} \left(1 + \frac{1}{n} \right)^{2n} = \lim_{n \to +\infty} \left[\left(1 + \frac{1}{n} \right)^n \right]^2$$

$$= \left[\lim_{n \to +\infty} \left(1 + \frac{1}{n} \right)^n \right]^2 = e^2 .$$

g) $\quad \lim_{n \to +\infty} \frac{2^n + 1}{3^n + 1}$

La limite est de la forme indéterminée $\left[\dfrac{\infty}{\infty} \right]$. Alors

$$\lim_{n \to +\infty} \frac{2^n + 1}{3^n + 1} = \lim_{n \to +\infty} \frac{\dfrac{2^n + 1}{3^n}}{\dfrac{3^n + 1}{3^n}} = \lim_{n \to +\infty} \frac{\left(\frac{2}{3}\right)^n + \frac{1}{3^n}}{1 + \frac{1}{3^n}} = \frac{0 + 0}{1 + 0} = 0 \, .$$

RÉPONSE

$a)$ $\lim_{n \to +\infty} \dfrac{3n^3 + 2n + 1}{5n^3 + 2} = \dfrac{3}{5}$

$b)$ $\lim_{n \to +\infty} \left(\dfrac{1 + 2 + \ldots + n}{n - 3} - n \right) = +\infty$

$c)$ $\lim_{n \to +\infty} \left(\sin \sqrt{n + 1} - \sin \sqrt{n} \right) = 0$

$d)$ $\lim_{n \to +\infty} \left(\dfrac{1}{\sqrt{n^2 + 1}} + \ldots + \dfrac{1}{\sqrt{n^2 + n}} \right) = 1$

$e)$ $\lim_{n \to +\infty} 2^n \sin\left(\dfrac{1}{2^n} \right) = 1$

$f)$ $\lim_{n \to +\infty} \left(\dfrac{n + 1}{n} \right)^{2n} = e^2$

$g)$ $\lim_{n \to +\infty} \dfrac{2^n + 1}{3^n + 1} = 0$

2 SÉRIES NUMÉRIQUES, TESTS DE CONVERGENCE

À RETENIR

- **SÉRIE NUMÉRIQUE :** Soit $\{a_n\}$ une suite infinie. Posons

$$S_1 = a_1$$
$$S_2 = a_1 + a_2$$
$$S_3 = a_1 + a_2 + a_3 \ ...$$

$$S_n = a_1 + a_2 + ... + a_n = \sum_{i=1}^{n} a_i \ , \ ...$$

La suite $\{S_n\}$ est appelée la suite des sommes partielles ou la série $\displaystyle\sum_{n=1}^{\infty} a_n = a_1 + a_2 + ... + a_n + ...$

Les nombres a_1, a_2, a_3, ..., a_n, ... sont les termes de la série.

- **CONVERGENCE D'UNE SÉRIE NUMÉRIQUE :** Si la suite des sommes partielles converge vers un nombre fini S, c'est-à-dire $\displaystyle\lim_{n \to +\infty} S_n = S$, nous disons que la série converge et nous écrivons $\displaystyle\sum_{n=1}^{n} a_n = S$.

- **PROPRIÉTÉS DES SÉRIES CONVERGENTES**

  1. Si la série $\displaystyle\sum_{n=1}^{\infty} a_n$ converge, alors $\displaystyle\lim_{n \to +\infty} a_n = 0$.

  2. Si $\displaystyle\lim_{n \to +\infty} a_n \neq 0$, alors la série $\displaystyle\sum_{n=1}^{\infty} a_n$ diverge.

  3. Si les séries $\displaystyle\sum_{n=1}^{\infty} a_n$ et $\displaystyle\sum_{n=1}^{\infty} b_n$ convergent, alors les séries $\displaystyle\sum_{n=1}^{\infty} (a_n \pm b_n)$ convergent et

$$\sum_{n=1}^{\infty}(a_n \pm b_n) = \sum_{n=1}^{\infty}a_n \pm \sum_{n=1}^{\infty}b_n .$$

4. Les séries $\displaystyle\sum_{n=1}^{\infty}a_n$ et $\displaystyle\sum_{n=1}^{\infty}c\,a_n$ où c est une constante non nulle, convergent toutes deux ou divergent toutes deux. Si elles convergent, alors $\displaystyle\sum_{n=1}^{\infty}c\,a_n = c\sum_{n=1}^{\infty}a_n .$

• TESTS DE CONVERGENCE
1er TEST DE COMPARAISON

Soit $0 \le a_n \le b_n$ pour tout $n \in N$.

a) Si $\displaystyle\sum_{n=1}^{\infty}b_n$ converge, alors $\displaystyle\sum_{n=1}^{\infty}a_n$ converge aussi.

b) Si $\displaystyle\sum_{n=1}^{\infty}a_n$ diverge, alors $\displaystyle\sum_{n=1}^{\infty}b_n$ diverge aussi.

2e TEST DE COMPARAISON

Soit $\displaystyle\sum_{n=1}^{\infty}a_n$ et $\displaystyle\sum_{n=1}^{\infty}b_n$ deux séries dont les termes sont positifs et telles que $\displaystyle\lim_{n\to+\infty}\frac{a_n}{b_n} = \rho$.

Si ρ est un nombre fini et $\rho \ne 0$, alors les séries convergent ou divergent toutes deux.

TEST DE D'ALEMBERT

Soit $\displaystyle\sum_{n=1}^{\infty}a_n$ une série dont tous les termes sont positifs et pour laquelle $\displaystyle\lim_{n\to+\infty}\frac{a_{n+1}}{a_n} = \rho$.

a) Si $\rho < 1$, la série converge.

b) Si $\rho > 1$ (même $+\infty$), la série diverge.

c) Si $\rho = 1$, la série peut converger ou diverger. Il faut utiliser un autre test pour conclure.

TEST DE LA RACINE n^e

Soit $\displaystyle\sum_{n=1}^{\infty} a_n$ une série dont tous les termes sont positifs et pour

laquelle $\displaystyle\lim_{n \to +\infty} \sqrt[n]{a_n} = \rho$.

a) Si $\rho < 1$, la série converge.

b) Si $\rho > 1$ (même $+\infty$), la série diverge.

c) Si $\rho = 1$, la série peut converger ou diverger. Il faut utiliser un autre test pour conclure.

TEST DE L'INTÉGRALE

Soit $\displaystyle\sum_{n=1}^{\infty} a_n$ une série dont tous les termes sont positifs et soit

f une fonction définie dans $\mathbb{R}^+$ telle que $f(n) = a_n$ (la fonction résultant du remplacement de n par x dans la formule de a_n). Si f est continue et décroissante pour $x \geq 1$, alors la série

$\displaystyle\sum_{n=1}^{\infty} a_n$ et l'intégrale $\displaystyle\int_1^{\infty} f(x)\,dx$ convergent ou divergent toutes deux.

- **CONVERGENCES ABSOLUE ET CONDITIONNELLE :** Une série

  $\displaystyle\sum_{n=1}^{\infty} a_n$ à termes de signes quelconques est dite absolument

  convergente si la série $\displaystyle\sum_{n=1}^{\infty} |a_n|$ converge.

  Si une série $\displaystyle\sum_{n=1}^{\infty} a_n$ à termes de signes quelconques converge

  alors que la série $\displaystyle\sum_{n=1}^{\infty} |a_n|$ diverge, nous disons que la série

  $\displaystyle\sum_{n=1}^{\infty} a_n$ est conditionnellement convergente.

- **SÉRIE GÉOMÉTRIQUE :** Une série qui peut s'écrire sous la forme

$$a + ar + ar^2 + \ldots + ar^{n-1} + \ldots = \sum_{n=1}^{\infty} ar^{n-1}$$

où a et r sont deux constantes non nulles, s'appelle une série géométrique.

Si $|r| < 1$, la série géométrique converge. Nous avons alors

$$\sum_{n=1}^{\infty} ar^{n-1} = \frac{a}{1-r}.$$

Si $|r| \geq 1$, la série géométrique diverge.

Exercices

47. Pour chacune des séries suivantes, calculer la somme (si elle existe) en utilisant la suite des sommes partielles $\{S_n\}$.

$a)$ $\displaystyle\sum_{n=1}^{\infty} \left(\frac{1}{n} - \frac{1}{n+1} \right)$

$b)$ $\displaystyle\sum_{n=1}^{\infty} \frac{1}{n(n+1)}$

$c)$ $\displaystyle\sum_{n=1}^{\infty} \frac{1}{(4n-3)(4n+1)}$

$d)$ $\displaystyle\sum_{n=0}^{\infty} \frac{1}{3^n}$

SOLUTION

$a)$ $\displaystyle\sum_{n=1}^{\infty} \left(\frac{1}{n} - \frac{1}{n+1} \right)$

Calculons quelques termes de la suite des sommes partielles $\{S_n\}$. Nous avons

$$S_1 = a_1 = 1 - \frac{1}{2}$$

$$S_2 = a_1 + a_2 = 1 - \frac{1}{2} + \frac{1}{2} - \frac{1}{3} = 1 - \frac{1}{3}$$

$$S_3 = a_1 + a_2 + a_3 = S_2 + a_3 = 1 - \frac{1}{3} + \frac{1}{3} - \frac{1}{4} = 1 - \frac{1}{4} .$$

Nous trouvons facilement la formule générale

$$S_n = 1 - \frac{1}{n+1} ,$$

donc

$$S = \lim_{n \to +\infty} S_n = \lim_{n \to +\infty} \left(1 - \frac{1}{n+1} \right) = 1 .$$

b) $\quad \displaystyle\sum_{n=1}^{\infty} \frac{1}{n(n+1)}$

Décomposons la fraction $\dfrac{1}{n(n+1)}$ en somme de fractions partielles.

$$\frac{1}{n(n+1)} = \frac{A}{n} + \frac{B}{n+1}$$

Mettons les fractions au même dénominateur et égalons les numérateurs. Nous trouvons

$$1 = (A+B)n + A .$$

En égalant les coefficients, nous trouvons un système d'équations dont la solution unique est $A = 1$, $B = -1$.

Le terme général de la série $\displaystyle\sum_{n=1}^{\infty} \frac{1}{n(n+1)}$ est donc

$a_n = \dfrac{1}{n} - \dfrac{1}{n+1}$ et d'après le résultat précédent, nous avons $S = 1$.

c) $\quad \displaystyle\sum_{n=1}^{\infty} \frac{1}{(4n-3)(4n+1)}$

Décomposons la fraction $\dfrac{1}{(4n-3)(4n+1)}$ en somme de fractions partielles.

$$\frac{1}{(4n-3)(4n+1)} = \frac{A}{4n-3} + \frac{B}{4n+1}$$

Nous trouvons

$A = \dfrac{1}{4}$ et $B = -\dfrac{1}{4}$ (voir la solution en b).

Le terme général de la série $\displaystyle\sum_{n=1}^{\infty} \dfrac{1}{(4n-3)(4n+1)}$ peut donc s'écrire aussi sous la forme

$$a_n = \dfrac{1}{4(4n-3)} - \dfrac{1}{4(4n+1)}$$

Calculons quelques termes de la suite des sommes partielles $\{S_n\}$. Nous avons

$$S_1 = a_1 = \dfrac{1}{4 \times 1} - \dfrac{1}{4 \times 5}$$

$$S_2 = S_1 + a_2 = \dfrac{1}{4 \times 1} - \dfrac{1}{4 \times 5} + \dfrac{1}{4 \times 5} - \dfrac{1}{4 \times 9} = \dfrac{1}{4 \times 1} - \dfrac{1}{4 \times 9}$$

$$S_3 = S_2 + a_3 = \dfrac{1}{4 \times 1} - \dfrac{1}{4 \times 9} + \dfrac{1}{4 \times 9} - \dfrac{1}{4 \times 13} = \dfrac{1}{4 \times 1} - \dfrac{1}{4 \times 13},$$

donc

$$S_n = \dfrac{1}{4} - \dfrac{1}{4(4n+1)}$$

et

$$S = \lim_{n \to +\infty} S_n = \lim_{n \to +\infty} \left(\dfrac{1}{4} - \dfrac{1}{4(4n+1)} \right) = \dfrac{1}{4}.$$

$d)$ $\displaystyle\sum_{n=0}^{\infty} \dfrac{1}{3^n}$

La série est une série géométrique $\displaystyle\sum_{n=0}^{\infty} ar^n$ où $a = 1$ et $r = \dfrac{1}{3}$, donc elle converge ($|r| < 1$) et la somme

$$S = \dfrac{a}{1-r} = \dfrac{1}{1 - \dfrac{1}{3}} = \dfrac{3}{2}$$

RÉPONSE

$a)$ $S = 1$

$b)$ $S = 1$

$c)$ $S = \dfrac{1}{4}$

d) $\quad S = \dfrac{3}{2}$

48. Déterminer la nature des séries suivantes (divergente, convergente).

a) $\quad \displaystyle\sum_{n=1}^{\infty} \dfrac{2^n}{n}$

b) $\quad \displaystyle\sum_{n=1}^{\infty} \dfrac{n}{n^2 + 1}$

c) $\quad \displaystyle\sum_{n=1}^{\infty} \dfrac{\sqrt{n}}{n - 2\sqrt{n} + 3}$

d) $\quad \displaystyle\sum_{n=1}^{\infty} \dfrac{n}{3^n}$

e) $\quad \displaystyle\sum_{n=1}^{\infty} \dfrac{1}{n^n}$

f) $\quad \displaystyle\sum_{n=1}^{\infty} \left(\dfrac{n+1}{n} \right)^{n^2}$

g) $\quad \displaystyle\sum_{n=2}^{\infty} \dfrac{1}{n \ln n}$

h) $\quad \displaystyle\sum_{n=2}^{\infty} \dfrac{1}{n \ln^3 n}$

SOLUTION

a) $\quad \displaystyle\sum_{n=1}^{\infty} \dfrac{2^n}{n}$

 REMARQUE Pour étudier la nature des séries dont les termes comprennent des exposants, nous appliquons généralemment le test de d'Alembert ou le test de la racine n^e.

Pour appliquer le test de d'Alembert, nous devons calculer

$$\lim_{n \to +\infty} \frac{a_{n+1}}{a_n} = \lim_{n \to +\infty} \frac{\dfrac{2^{n+1}}{n+1}}{\dfrac{2^n}{n}} = \lim_{n \to +\infty} \frac{2^n 2n}{2^n(n+1)}$$

$$= \lim_{n \to +\infty} 2 \frac{1}{1+\dfrac{1}{n}} = 2 \ .$$

Puisque $\displaystyle\lim_{n \to +\infty} \frac{a_{n+1}}{a_n} > 1$, alors la série diverge.

b) $\displaystyle\sum_{n=1}^{\infty} \frac{n}{n^2+1}$

La différence entre le degré du polynôme au dénominateur et celui du polynôme du numérateur est $2-1 = 1$.

Comparons cette série avec la série dont le terme général est $b_n = \dfrac{1}{n}$. Calculons $\displaystyle\lim_{n \to +\infty} \frac{a_n}{b_n}$.

$$\lim_{n \to +\infty} \frac{a_n}{b_n} = \lim_{n \to +\infty} \frac{\dfrac{n}{n^2+1}}{\dfrac{1}{n}} = \lim_{n \to +\infty} \frac{n^2}{n^2+1} = \lim_{n \to +\infty} \frac{1}{1+\dfrac{1}{n^2}} = 1$$

Puisque la série harmonique $\displaystyle\sum_{n=1}^{\infty} \frac{1}{n}$ diverge, alors la série diverge aussi (voir 2e test de comparaison).

c) $\displaystyle\sum_{n=1}^{\infty} \frac{\sqrt{n}}{n-2\sqrt{n}+3}$

L'exposant le plus élevé de n au dénominateur est 1 et au numérateur $\dfrac{1}{2}$. La différence est donc $1 - \dfrac{1}{2} = \dfrac{1}{2}$. Comparons cette série avec la série dont le terme général est $b_n = \dfrac{1}{n^{1/2}} = \dfrac{1}{\sqrt{n}}$.

$$\lim_{n \to +\infty} \frac{a_n}{b_n} = \lim_{n \to +\infty} \frac{\dfrac{\sqrt{n}}{n-2\sqrt{n}+3}}{\dfrac{1}{\sqrt{n}}} = \lim_{n \to +\infty} \frac{\sqrt{n}\sqrt{n}}{n-2\sqrt{n}+3}$$

$$= \lim_{n \to +\infty} \frac{n}{n - 2\sqrt{n} + 3} = \lim_{n \to +\infty} \frac{1}{1 - \dfrac{2}{\sqrt{n}} + \dfrac{3}{n}} = 1$$

Puisque la série $\displaystyle\sum_{n=1}^{\infty} \frac{1}{\sqrt{n}}$ diverge, alors la série

$\displaystyle\sum_{n=1}^{\infty} \frac{\sqrt{n}}{n - 2\sqrt{n} + 3}$ diverge aussi (voir 2e test de comparaison).

d) $\displaystyle\sum_{n=1}^{\infty} \frac{n}{3^n}$

Appliquons le test de la racine n^e.

$$\lim_{n \to +\infty} \sqrt[n]{a_n} = \lim_{n \to +\infty} \sqrt[n]{\frac{n}{3^n}} = \lim_{n \to +\infty} \frac{\sqrt[n]{n}}{3} = \frac{1}{3}$$

 REMARQUE   Dans le calcul, nous avons utilisé le résultat
$$\lim_{n \to +\infty} \sqrt[n]{n} = 1 .$$

Puisque $\displaystyle\lim_{n \to +\infty} \sqrt[n]{a_n} = \frac{1}{3} < 1$, la série converge.

e) $\displaystyle\sum_{n=1}^{\infty} \frac{1}{n^n}$

Appliquons le test de la racine n^e

$$\lim_{n \to +\infty} \sqrt[n]{a_n} = \lim_{n \to +\infty} \sqrt[n]{\frac{1}{n^n}} = \lim_{n \to +\infty} \frac{1}{n} = 0 < 1 .$$

Donc la série converge.

f) $\displaystyle\sum_{n=1}^{\infty} \left(\frac{n+1}{n} \right)^{n^2}$

Appliquons le test de la racine n^e

$$\lim_{n \to +\infty} \sqrt[n]{a_n} = \lim_{n \to +\infty} \sqrt[n]{\left(\frac{n+1}{n} \right)^{n^2}} = \lim_{n \to +\infty} \sqrt[n]{\left[\left(\frac{n+1}{n} \right)^n \right]^n}$$

$$\lim_{n \to +\infty} \left(\frac{n+1}{n} \right)^n = \lim_{n \to +\infty} \left(1 + \frac{1}{n} \right)^n = e > 1 \,.$$

Donc la série diverge.

g) $\displaystyle \sum_{n=2}^{\infty} \frac{1}{n \ln n}$

REMARQUE   Dans la plupart des séries dont le terme général comprend des logarithmes, nous appliquons le test de l'intégrale.

Remplaçons n par x dans la formule $a_n = \dfrac{1}{n \ln n}$.

Nous obtenons alors $f(x) = \dfrac{1}{x \ln x}$.

Puisque la sommation commence à $n = 2$, nous considérons la fonction f dont le domaine est $\mathrm{Dom}\, f = [2, +\infty]$.

Sur cet intervalle, f est continue (le dénominateur ne s'annule pas pour $x \geq 2$) et est décroissante (sa dérivée est négative pour tout $x \geq 2$). En effet

$$f'(x) = -\frac{1}{(x \ln x)^2}(x \ln x)' = -\frac{1}{x^2 \ln^2 x} \left(\ln x + x \frac{1}{x} \right)$$

$$= -\frac{1}{x^2 \ln^2 x}(\ln x + 1) < 0 \text{ pour tout } x \geq 2.$$

Calculons l'intégrale impropre

$$\int_2^{+\infty} \frac{1}{x \ln x} dx = \lim_{b \to +\infty} \int_2^b \frac{dx}{x \ln x} \,.$$

Posons $z = \ln x$, alors $dz = \dfrac{dx}{x}$ et

$$\lim_{b \to +\infty} \int_2^b \frac{dx}{x \ln x} = \lim_{b \to +\infty} \int_{\ln 2}^{\ln b} \frac{dz}{z} = \lim_{b \to +\infty} \ln|z| \Big|_{\ln 2}^{\ln b}$$

$$= \lim_{b \to +\infty} \Big[\ln(\ln b) - \ln(\ln 2) \Big] = +\infty \,.$$

Puisque l'intégrale diverge, la série diverge aussi.

$h)$ $\displaystyle\sum_{n=2}^{\infty}\frac{1}{n\ln^3 n}$

Appliquons le test de l'intégrale. La fonction f telle que

$$f(x) = \frac{1}{x\ln^3 x}$$

(obtenue par le remplacement n par x dans a_n) est continue sur $[2, +\infty[$. De plus, elle est décroissante sur cet intervalle. En effet,

$$f'(x) = -\frac{1}{\left(x\ln^3 x\right)^2}\left(x\ln^3 x\right)' = -\frac{1}{x^2\ln^6 x}\left(\ln^3 x + \frac{3x\ln^2 x}{x}\right)$$

$$= -\frac{1}{x^2\ln^4 x}(\ln x + 3) < 0 \quad \text{pour tout} \quad x > 2\,.$$

Calculons $\displaystyle\int_2^{+\infty}\frac{dx}{x\ln^3 x}$.

$$\int_2^{+\infty}\frac{dx}{x\ln^3 x} = \lim_{b\to+\infty}\int_2^{b}\frac{dx}{x\ln^3 x}$$

Posons $z = \ln x$. Alors $dz = \dfrac{dx}{x}$ et

$$\int_2^{+\infty}\frac{dx}{x\ln^3 x} = \lim_{b\to+\infty}\int_{\ln 2}^{\ln b}\frac{dz}{z^3} = \lim_{b\to+\infty}\frac{z^{-2}}{-2}\bigg|_{\ln 2}^{\ln b}$$

$$= \lim_{b\to+\infty}\left[-\frac{1}{2\ln^2 b} + \frac{1}{2\ln^2 2}\right] = \frac{1}{2\ln^2 2}\,.$$

L'intégrale converge, donc la série converge aussi.

RÉPONSE

$a)$ $\displaystyle\sum_{n=1}^{\infty}\frac{2^n}{n}$ diverge

$b)$ $\displaystyle\sum_{n=1}^{\infty}\frac{n}{n^2+1}$ diverge

$c)$ $\displaystyle\sum_{n=1}^{\infty}\frac{\sqrt{n}}{n-2\sqrt{n}+3}$ diverge *d)* $\displaystyle\sum_{n=1}^{\infty} \frac{n}{3^n}$ converge

e) $\displaystyle\sum_{n=1}^{\infty} \frac{1}{n^n}$ converge

f) $\displaystyle\sum_{n=1}^{\infty} \left(\frac{n+1}{n}\right)^{n^2}$ diverge

g) $\displaystyle\sum_{n=2}^{\infty} \frac{1}{n \ln n}$ diverge

h) $\displaystyle\sum_{n=2}^{\infty} \frac{1}{n \ln^3 n}$ converge

49. Étudier la convergence des séries dont les termes généraux sont les suivants.

a) $a_n = \dfrac{1}{n \sqrt[3]{n^2}}$

b) $a_n = \dfrac{1}{\sqrt{n}-1} - \dfrac{1}{\sqrt{n}+1}$

c) $a_n = \dfrac{n^n}{n! \, 2^n}$

d) $a_n = \dfrac{n}{n^3 + 2n^2 + 3n + 1}$

SOLUTION

a) $a_n = \dfrac{1}{n \sqrt[3]{n^2}}$

Si nous remplaçons n par x dans a_n, nous obtenons

$f(x) = \dfrac{1}{x \sqrt[3]{x^2}}$ qui est une fonction continue facile à intégrer.

De plus, $f(x)$ est décroissante dans l'intervalle $[1, +\infty[$.

En effet, sa dérivée

$$f'(x) = \left(\frac{1}{x\sqrt[3]{x^2}}\right)' = \left(x^{-5/3}\right)' = -\frac{5}{3}x^{-8/3} < 0 \text{ pour } x \in [1, +\infty[.$$

Calculons $\displaystyle\int_1^\infty \frac{dx}{x\sqrt[3]{x^2}}$

$$\int_1^{+\infty} \frac{dx}{x\sqrt[3]{x^2}} = \lim_{b\to+\infty} \int_1^b x^{-5/3} dx = \lim_{b\to+\infty} \frac{x^{-2/3}}{2/3}\bigg|_1^b$$

$$= \lim_{b\to+\infty} \left(-\frac{3}{2}b^{-2/3} + \frac{3}{2}\right) = \lim_{b\to+\infty} \left(-\frac{3}{2\sqrt[3]{b}} + \frac{3}{2}\right) = \frac{3}{2}.$$

L'intégrale converge, donc la série converge aussi.

Cette série peut être étudiée d'une autre façon. Voyons la remarque ci-dessous.

 REMARQUE   Une série de la forme

$$\sum_{n=1}^\infty \frac{1}{n^p} = 1 + \frac{1}{2^p} + \frac{1}{3^p} + \ldots + \frac{1}{n^p} + \ldots$$

est dite série de Riemann ou p-série. Elle converge si $p > 1$ et diverge si $p \le 1$.

---

b) $a_n = \dfrac{1}{\sqrt{n}-1} - \dfrac{1}{\sqrt{n}+1}$

Après avoir fait la transformation

$$a_n = \frac{1}{\sqrt{n}-1} - \frac{1}{\sqrt{n}+1} = \frac{\left(\sqrt{n}+1\right) - \left(\sqrt{n}-1\right)}{\left(\sqrt{n}-1\right)\left(\sqrt{n}+1\right)} = \frac{2}{n-1},$$

il devient évident que cette série est minorée par la série dont le terme général est $b_n = \dfrac{1}{n}$. En effet, pour tout $n \ge 2$ nous avons $0 < \dfrac{1}{n} < \dfrac{2}{n-1}$.

Puisque la série minorante $\sum\limits_{n=2}^{\infty} \dfrac{1}{n}$ diverge, la série donnée diverge aussi (voir le 1er test de comparaison).

c) $a_n = \dfrac{n^n}{n!\, 2^n}$

 REMARQUE   Pour étudier la convergence des séries dont les termes comprennent un factoriel, nous utilisons généralement le test de d'Alembert.

Nous avons

$$\lim_{n \to +\infty} \frac{a_{n+1}}{a_n} = \lim_{n \to +\infty} \frac{\dfrac{(n+1)^{n+1}}{(n+1)!\, 2^{n+1}}}{\dfrac{n^n}{n!\, 2^n}}$$

$$= \lim_{n \to +\infty} \frac{(n+1)^n (n+1)n!\, 2^n}{n^n (n+1)n!\, 2^n 2} = \lim_{n \to +\infty} \frac{(n+1)^n}{n^n 2}$$

$$= \lim_{n \to +\infty} \frac{1}{2} \left(1 + \frac{1}{n} \right)^n = \frac{1}{2} e \ .$$

Puisque la limite est supérieure à 1 ($2 < e < 3$), la série diverge.

d) $a_n = \dfrac{n}{n^3 + 2n^2 + 3n + 1}$

La différence entre le degré du polynôme au dénominateur et celui du polynôme au numérateur est $3 - 1 = 2$. Comparons cette série avec la série dont le terme général est $b_n = \dfrac{1}{n^2}$.

Nous avons

$$\lim_{n \to +\infty} \frac{a_n}{b_n} = \lim_{n \to +\infty} \frac{\dfrac{n}{5n^3 + 2n^2 + 3n + 2}}{\dfrac{1}{n^2}}$$

$$= \lim_{n \to +\infty} \frac{n^3}{5n^3 + 2n^2 + 3n + 2} = \lim_{n \to +\infty} \frac{1}{5 + \dfrac{2}{n} + \dfrac{3}{n^2} + \dfrac{2}{n^3}} = \frac{1}{5}.$$

Puisque la série $\displaystyle\sum_{n=1}^{\infty} \frac{1}{n^2}$ converge (la série de Riemann avec

$p = 2 > 1$), la série donnée converge aussi (voir 2e test de comparaison).

RÉPONSE

$a)$ Converge

$b)$ Diverge

$c)$ Diverge

$d)$ Converge

50. **Appliquer le 1er test de comparaison pour étudier la nature des séries suivantes.**

$a)$ $\quad \sin 1 + \dfrac{1}{2}\sin\dfrac{1}{2} + \dfrac{1}{3}\sin\dfrac{1}{3} + \ldots + \dfrac{1}{n}\sin\dfrac{1}{n} + \ldots$

$b)$ $\quad \dfrac{1}{\sin 1} + \dfrac{1}{4\sin\dfrac{1}{2}} + \dfrac{1}{9\sin\dfrac{1}{3}} + \ldots + \dfrac{1}{n^2\sin\dfrac{1}{n}} + \ldots$

SOLUTION ET RÉPONSE

$a)$ $\quad \sin 1 + \dfrac{1}{2}\sin\dfrac{1}{2} + \dfrac{1}{3}\sin\dfrac{1}{3} + \ldots + \dfrac{1}{n}\sin\dfrac{1}{n} + \ldots$

Pour les valeurs positives proches de zéro, nous avons $0 < \sin x < x$ (voir figure 45).

Ainsi, pour $n \in N$ $\quad 0 < \sin\dfrac{1}{n} < \dfrac{1}{n}$ d'où $0 < \dfrac{1}{n}\sin\dfrac{1}{n} < \dfrac{1}{n^2}$.

La série majorante $\displaystyle\sum_{n=1}^{\infty} \frac{1}{n^2}$ converge, donc la série

$\displaystyle\sum_{n=1}^{\infty} \frac{1}{n}\sin\frac{1}{n}$ converge aussi.

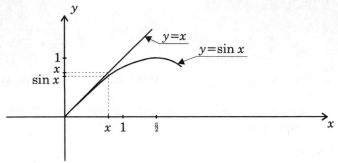

FIGURE   45

b) $\dfrac{1}{\sin 1} + \dfrac{1}{4\sin\dfrac{1}{2}} + \dfrac{1}{9\sin\dfrac{1}{3}} + \ldots + \dfrac{1}{n^2\sin\dfrac{1}{n}} + \ldots$

Multiplions par n^2 les trois membres de l'inéquation

$0 < \sin\dfrac{1}{n} < \dfrac{1}{n}$.

Nous obtenons

$0 < n^2\sin\dfrac{1}{n} < n$,

d'où

$\dfrac{1}{n^2\sin\dfrac{1}{n}} > \dfrac{1}{n}$.

La série minorante $\displaystyle\sum_{n=1}^{\infty}\dfrac{1}{n}$ diverge, donc la série $\displaystyle\sum_{n=1}^{\infty}\dfrac{1}{n^2\sin\dfrac{1}{n}}$

diverge aussi.

3

SÉRIES ALTERNÉES

- **SÉRIE ALTERNÉE :** Une série de la forme

$$\sum_{n=1}^{\infty}(-1)^{n-1}a_n = a_1 - a_2 + a_3 - a_4 + \ldots + (-1)^{n-1}a_n + \ldots,$$

où $a_n > 0$ pour tout $n \in N$, c'est-à-dire une série dont les termes successifs ont des signes opposés est dite série alternée.

- **TEST DES SÉRIES ALTERNÉES**

Si

1. $a_1 > a_2 > \ldots > a_n > \ldots$

2. $\lim_{n \to +\infty} a_n = 0$,

alors la série alternée $\displaystyle\sum_{n=1}^{\infty}(-1)^{n-1}a_n$ converge.

Exercices

51. **Pouvons-nous utiliser le test des séries alternées pour étudier la convergence de la série suivante?**

$$\frac{1}{\sqrt{2}-1} - \frac{1}{\sqrt{2}+1} + \frac{1}{\sqrt{3}-1} - \frac{1}{\sqrt{3}+1} + \ldots + \frac{1}{\sqrt{n}-1} - \frac{1}{\sqrt{n}+1} + \ldots$$

Justifier votre réponse.

SOLUTION ET RÉPONSE

Pour les termes d'indice impair,

$$a_1 = \frac{1}{\sqrt{2}-1}, \quad a_3 = \frac{1}{\sqrt{3}-1}, \quad a_5 = \frac{1}{\sqrt{4}-1}, \ldots$$

nous avons la formule générale

$$a_{2n-1} = \frac{1}{\sqrt{n+1} - 1},$$

tandis que pour ceux d'indice pair

$$a_2 = \frac{1}{\sqrt{2} + 1}, \quad a_4 = \frac{1}{\sqrt{3} + 1}, \quad a_6 = \frac{1}{\sqrt{4} + 1}, \quad \ldots,$$

la formule est

$$a_{2n} = \frac{1}{\sqrt{n+1} + 1}.$$

Il est évident que $\sqrt{n+1} - 1 < \sqrt{n+1} + 1$.

Alors $\dfrac{1}{\sqrt{n+1} - 1} > \dfrac{1}{\sqrt{n+1} + 1}$ et $a_{2n-1} > a_{2n}$.

De plus, il est facile de montrer que $\sqrt{n+1} + 1 > \sqrt{(n+1)+1} - 1$.

Alors $\dfrac{1}{\sqrt{n+1} + 1} < \dfrac{1}{\sqrt{(n+1)+1} - 1}$ et $a_{2n} < a_{2(n+1)-1} = a_{2n+1}$.

Chaque terme d'indice impair, soit a_{2n-1}, est donc plus grand que celui qui le suit, soit a_{2n}, et chaque terme d'indice pair, soit a_{2n}, est plus petit que celui qui le suit, soit a_{2n+1}. Les termes de la suite $\{a_n\}$ ne sont donc pas décroissants, et par conséquent le test des séries alternées ne peut être utilisé.

Même si le test des séries alternées ne peut être utilisé, la série peut converger.

---

52. Les séries alternées suivantes sont-elles convergentes ou divergentes? Dans le cas où la série converge, vérifier si elle converge absolument.

a) $\displaystyle\sum_{n=1}^{\infty} (-1)^{n-1} \frac{n^2 + 1}{n^2 + 3n}$

b) $\displaystyle\sum_{n=1}^{\infty} (-1)^n \frac{1}{2^n + 1}$

c) $\displaystyle\sum_{n=1}^{\infty}(-1)^{n-1}\frac{1}{\sqrt[5]{n}}$

SOLUTION

a) $\displaystyle\sum_{n=1}^{\infty}(-1)^{n-1}\frac{n^2+1}{n^2+3n}$

Vérifions les deux conditions du test des séries alternées.

Ici $a_n = \dfrac{n^2+1}{n^2+3n}$.

Nous avons

$$\lim_{n\to+\infty} a_n = \lim_{n\to+\infty}\frac{n^2+1}{n^2+3n} = \lim_{n\to+\infty}\frac{1+\dfrac{1}{n^2}}{1+\dfrac{3}{n}} = 1\,.$$

La deuxième condition du test n'est donc pas satisfaite et par conséquent, le test des séries alternées ne peut être utilisé.

Puisque $\displaystyle\lim_{n\to+\infty}\frac{n^2+1}{n^2+3n}=1$, alors $\displaystyle\lim_{n\to+\infty}(-1)^{n-1}\frac{n^2+1}{n^2+3n}$

n'existe pas, c'est-à-dire la condition nécessaire pour la convergence d'une série n'est pas satisfaite (voir la propriété 2 des séries convergentes). Par conséquent, la série donnée diverge.

b) $\displaystyle\sum_{n=1}^{\infty}(-1)^{n}\frac{1}{2^n+1}$

Ici, $a_n = \dfrac{1}{2^n+1}$ et il est évident que $\displaystyle\lim_{n\to+\infty} a_n = 0$. De plus,

nous avons $0 < 2^n+1 < 2^{n+1}+1$ d'où $\dfrac{1}{2^n+1} > \dfrac{1}{2^{n+1}+1}$.

Les termes de la suite $\{a_n\}$ sont donc décroissants et la série alternée converge.

Maintenant, étudions la série des valeurs absolues, soit

$$\sum_{n=0}^{\infty}\left|(-1)^{n}\frac{1}{2^n+1}\right| = \sum_{n=0}^{\infty}\frac{1}{2^n+1}\,. \quad \text{Nous avons} \quad 2^n+1 > 2^n > 0$$

d'où $\dfrac{1}{2^n+1} < \dfrac{1}{2^n}$.

Puisque la série majorante converge (en utilisant , par exemple, le test de la racine n^e), alors la série $\sum\limits_{n=0}^{\infty} \dfrac{1}{2^n + 1}$ converge. La série donnée converge donc absolument.

c) $\sum\limits_{n=1}^{\infty} (-1)^{n-1} \dfrac{1}{\sqrt[5]{n}}$

Ici, $a_n = \dfrac{1}{\sqrt[5]{n}}$. La suite $\{a_n\}$ vérifie les deux conditions du test des séries alternées, soit

1. $a_n = \dfrac{1}{\sqrt[5]{n}} > \dfrac{1}{\sqrt[5]{n+1}} = a_{n+1}$

2. $\lim\limits_{n \to +\infty} a_n = \lim\limits_{n \to +\infty} \dfrac{1}{\sqrt[5]{n}} = 0$.

Donc la série alternée converge. Mais la série de valeurs absolues, soit $\sum\limits_{n=1}^{\infty} \left| (-1)^{n-1} \dfrac{1}{\sqrt[5]{n}} \right| = \sum\limits_{n=1}^{\infty} \dfrac{1}{\sqrt[5]{n}}$, diverge (la série de Riemann avec $p = \dfrac{1}{5} < 1$). La série donnée converge donc conditionnellement.

RÉPONSE

a) $\sum\limits_{n=1}^{\infty} (-1)^{n-1} \dfrac{n^2 + 1}{n^2 + 3n}$ diverge

b) $\sum\limits_{n=1}^{\infty} (-1)^{n} \dfrac{1}{2^n + 1}$ converge absolument

c) $\sum\limits_{n=1}^{\infty} (-1)^{n-1} \dfrac{1}{\sqrt[5]{n}}$ converge conditionnellement

4 SÉRIES DE PUISSANCES

- **SÉRIE DE PUISSANCES :** Une série de la forme

$$\sum_{n=0}^{\infty} a_n x^n = a_0 + a_1 x + a_2 x^2 + \ldots + a_n x^n + \ldots$$

où a_0, a_1, a_2, ... sont des constantes et x est une variable, est appelée série de puissances en x ou série entière.

- **THÉORÈME**

Une série de puissances en x vérifie une et une seule des affirmations suivantes :

a) La série converge seulement pour $x = 0$.

b) La série converge absolument pour toute valeur réelle de x.

c) La série converge absolument pour toute valeur de x dans un intervalle ouvert $]-R, R[$ et diverge pour $x < -R$ ou $x > R$. La valeur positive R est appelée le rayon de convergence. Pour $x = -R$ et $x = R$, la série peut converger absolument, converger conditionnellement ou diverger selon le cas.

- **CRITÈRE DE D'ALEMBERT**

Soit $\displaystyle\sum_{n=0}^{\infty} a_n x^n$ une série de puissances. Supposons que

$\displaystyle\lim_{n \to +\infty} \left| \frac{a_{n+1}}{a_n} \right| = \rho$. Alors

$$R = \begin{cases} 0 & \text{si} \quad \rho = +\infty \\ \dfrac{1}{\rho} & \text{si} \quad 0 < \rho < +\infty \\ +\infty & \text{si} \quad \rho = 0 \end{cases}.$$

- **CRITÈRE DE LA RACINE n^e**

Soit $\displaystyle\sum_{n=0}^{\infty} a_n x^n$ une série de puissances. Supposons que

$$\lim_{n \to +\infty} \sqrt[n]{|a_n|} = \rho \text{ . Alors}$$

$$R = \begin{cases} 0 & \text{si} \quad \rho = +\infty \\ \dfrac{1}{\rho} & \text{si} \quad 0 < \rho < +\infty \text{ .} \\ +\infty & \text{si} \quad \rho = 0 \end{cases}$$

Exercices

53. Pour quelles valeurs de x les séries suivantes convergent-elles?

a) $\displaystyle\sum_{n=1}^{\infty} (-1)^{n-1} \frac{x^n}{n^2}$

b) $\displaystyle\sum_{n=1}^{\infty} 3^n x^n$

c) $\displaystyle\sum_{n=1}^{\infty} \frac{x^n}{n + \sqrt{n}}$

d) $\displaystyle\sum_{n=1}^{\infty} (-1)^{n-1} \frac{(x+3)^n}{n \, 5^n}$

e) $\displaystyle\sum_{n=1}^{\infty} \frac{x^n}{n^n}$

f) $\displaystyle\sum_{n=0}^{\infty} n! \, x^n$

SOLUTION

a) $\displaystyle\sum_{n=1}^{\infty} (-1)^{n-1} \frac{x^n}{n^2}$

La série est une série de puissances $\displaystyle\sum_{n=0}^{\infty} a_n x^n$ où

$a_n = (-1)^{n-1} \dfrac{1}{n^2}$. Calculons $\displaystyle\lim_{n \to +\infty} \left| \dfrac{a_{n+1}}{a_n} \right|$.

$$\lim_{n \to +\infty} \left| \frac{a_{n+1}}{a_n} \right| = \lim_{n \to +\infty} \left| \frac{\dfrac{(-1)^n}{(n+1)^2}}{\dfrac{(-1)^{n-1}}{n^2}} \right| = \lim_{n \to +\infty} \left| \frac{-n^2}{(n+1)^2} \right|$$

$$= \lim_{n \to +\infty} \frac{1}{\left(1 + \dfrac{1}{n}\right)^2} = 1$$

Selon le critère de d'Alembert pour les séries entières, le rayon de convergence est $R = 1$. Donc la série entière converge absolument pour tout $x \in \,]{-1},1[$.

Pour $x = -1$, la série devient

$$\sum_{n=1}^{\infty} (-1)^{n-1} \frac{(-1)^n}{n^2} = \sum_{n=1}^{\infty} (-1)^{2n-1} \frac{1}{n^2} = -\sum_{n=1}^{\infty} \frac{1}{n^2}$$

qui est une série convergente (la série de Riemann avec $p = 2 > 1$). Pour $x = 1$, la série devient

$$\sum_{n=1}^{\infty} (-1)^{n-1} \frac{1^n}{n^2} = \sum_{n=1}^{\infty} (-1)^{n-1} \frac{1}{n^2} \; .$$

En utilisant le test des séries alternées, il est facile de montrer que cette série converge.

Donc, la série entière converge dans l'intervalle fermé $[-1,1]$.

b) $\displaystyle\sum_{n=1}^{\infty} 3^n x^n$

Considérons cette série comme une série dont le terme général est $a_n = 3^n x^n$ et appliquons le test de la racine n^e .

Pour étudier une série numérique $\displaystyle\sum_{n=1}^{\infty} a_n$ de termes quelconques (positifs et négatifs), nous examinons la limite de la valeur absolue, soit $\lim\limits_{n \to +\infty}\left|\dfrac{a_{n+1}}{a_n}\right|$, dans le test de d'Alembert et

$\lim\limits_{n \to +\infty}\sqrt[n]{|a_n|}$ dans le test de la racine n^e.

Nous avons

$$\lim\limits_{n \to +\infty}\sqrt[n]{|a_n|} = \lim\limits_{n \to +\infty}\sqrt[n]{\left|3^n x^n\right|} = |3x| \, .$$

Selon le test de la racine n^e, la série converge si $|3x| < 1$,

c'est-à-dire pour $x \in \left]-\dfrac{1}{3}, \dfrac{1}{3}\right[$. Elle diverge si $|3x| > 1$, c'est-à-

dire si $x < -\dfrac{1}{3}$ ou $x > \dfrac{1}{3}$. Pour $x = -\dfrac{1}{3}$ et pour $x = \dfrac{1}{3}$, le test

n'est pas concluant (le cas où $\lim\limits_{n \to +\infty}\sqrt[n]{|a_n|} = 1$).

Pour $x = -\dfrac{1}{3}$, nous avons la série $\sum\limits_{n=1}^{\infty} 3^n\left(-\dfrac{1}{3}\right)^n = \sum\limits_{n=1}^{\infty}(-1)^n$ qui

diverge, car le terme général ne tend pas vers 0.

Pour $x = \dfrac{1}{3}$, nous avons la série $\sum\limits_{n=1}^{\infty} 3^n\left(\dfrac{1}{3}\right)^n = \sum\limits_{n=1}^{\infty} 1$, qui di-

verge pour la même raison.

Donc, la série entière converge dans l'intervalle ouvert

$\left]-\dfrac{1}{3}, \dfrac{1}{3}\right[$.

REMARQUE   En a), nous avons cherché le rayon de convergence en utilisant le critère de d'Alembert pour les séries entières. En b), nous avons d'abord appliqué le test de la racine n^e pour les séries numériques et ensuite nous avons cherché les valeurs de la variable x pour lesquelles la série converge (c'est-à-dire

$$\lim\limits_{n \to +\infty}\sqrt[n]{|a_n|} = \rho < 1 \,).$$

c) $\displaystyle\sum_{n=1}^{\infty} \frac{x^n}{n+\sqrt{n}}$

Appliquons le critère de d'Alembert pour les séries entières.

Ici, $a_n = \dfrac{1}{n+\sqrt{n}}$ et

$$\lim_{n\to+\infty}\left|\frac{a_{n+1}}{a_n}\right| = \lim_{n\to+\infty}\left|\frac{\dfrac{1}{n+1+\sqrt{n+1}}}{\dfrac{1}{n+\sqrt{n}}}\right| = \lim_{n\to+\infty}\left|\frac{n+\sqrt{n}}{n+1+\sqrt{n+1}}\right|$$

$$= \lim_{n\to+\infty}\frac{1+\dfrac{1}{\sqrt{n}}}{1+\dfrac{1}{n}+\sqrt{\dfrac{1}{n}+\dfrac{1}{n^2}}} = 1.$$

Le rayon de convergence est donc $R = 1$ et la série converge absolument dans l'intervalle $]-1,1[$.

Pour $x = -1$, la série devient $\displaystyle\sum_{n=1}^{\infty}\frac{(-1)^n}{n+\sqrt{n}}$. Pour étudier cette série, nous appliquons le test des séries alternées.

D'abord, nous vérifions si les termes $a_n = \dfrac{1}{n+\sqrt{n}}$ sont décroissants. Pour ce faire, nous considérons la fonction f, telle que $f(x) = \dfrac{1}{x+\sqrt{x}}$, obtenue en remplaçant n par x dans la formule de a_n.

Nous avons

$$f'(x) = \left(\frac{1}{x+\sqrt{x}}\right)' = -\frac{1}{\left(x+\sqrt{x}\right)^2}\left(1+\frac{1}{2\sqrt{x}}\right) < 0$$

pour tout $x \in [1,+\infty[$.

Alors f est décroissante dans $[1,+\infty[$ et par conséquent, la suite $\{a_n\}$ est décroissante (voir figure 46).

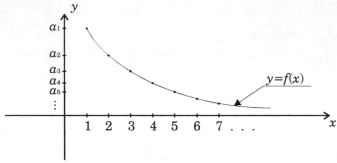

FIGURE   46

Ensuite,

$$\lim_{n \to +\infty} a_n = \lim_{n \to +\infty} \frac{1}{n + \sqrt{n}} = 0 \, .$$

Les deux conditions du test des séries altérnées sont donc remplies et la série converge.

Pour $x = 1$, la série devient $\displaystyle\sum_{n=1}^{\infty} \frac{1}{n + \sqrt{n}}$. Nous allons la comparer à la série harmonique $\displaystyle\sum_{n=1}^{\infty} \frac{1}{n}$. Calculons $\displaystyle\lim_{n \to +\infty} \frac{a_n}{b_n}$

$$\lim_{n \to +\infty} \frac{a_n}{b_n} = \lim_{n \to +\infty} \frac{\dfrac{1}{n + \sqrt{n}}}{\dfrac{1}{n}} = \lim_{n \to +\infty} \frac{n}{n + \sqrt{n}} = 1 \, .$$

Puisque la série harmonique $\displaystyle\sum_{n=1}^{\infty} \frac{1}{n}$ diverge, alors la série

$\displaystyle\sum_{n=1}^{\infty} \frac{1}{n + \sqrt{n}}$ diverge aussi (le 2e test de comparaison).

Donc, la série entière converge pour tout $x \in [-1, 1[$.

d) $\displaystyle\sum_{n=1}^{\infty} (-1)^{n-1} \frac{(x + 3)^n}{n \, 5^n}$

Posons $x + 3 = z$. Nous obtenons la série $\displaystyle\sum_{n=1}^{\infty} (-1)^{n-1} \frac{z^n}{n \, 5^n}$.

Appliquons le test de d'Alembert à la série dont le terme général est $a_n = (-1)^{n-1} \dfrac{z^n}{n\,5^n}$.

Nous avons

$$\lim_{n \to +\infty} \left| \frac{a_{n+1}}{a_n} \right| = \lim_{n \to +\infty} \left| \frac{(-1)^n \dfrac{z^{n+1}}{(n+1)5^{n+1}}}{(-1)^n \dfrac{z^n}{n\,5^n}} \right| = \lim_{n \to +\infty} \left| \frac{-n\,z}{5(n+1)} \right|$$

$$= \frac{|z|}{5} \lim_{n \to +\infty} \frac{n}{n+1} = \frac{|z|}{5} \ .$$

La série entière va donc converger absolument si $\dfrac{|z|}{5} < 1$, c'est-à-dire si $z \in \,]-5,5[$ et va diverger si $\dfrac{|z|}{5} > 1$, c'est-à-dire si $z > 5$ ou $z < -5$.

Pour $z = -5$, la série devient

$$\sum_{n=1}^{\infty} (-1)^{n-1} \frac{(-5)^n}{n\,5^n} = \sum_{n=1}^{\infty} (-1)^{2n-1} \frac{1}{n} = -\sum_{n=1}^{\infty} \frac{1}{n}$$

qui est une série divergente.

Pour $z = 5$, la série devient

$$\sum_{n=1}^{\infty} (-1)^{n-1} \frac{5^n}{n\,5^n} = \sum_{n=1}^{\infty} (-1)^{n-1} \frac{1}{n}$$

qui est une série convergente (le test des séries alternées).

La série de puissances en z converge donc dans l'intervalle $]-5,5]$ et la série $\sum\limits_{n=1}^{\infty} (-1)^{n-1} \dfrac{(x+3)^n}{n\,5^n}$ converge quand $z = x + 3 \in \,]-5,5]$, c'est-à-dire pour tout $x \in \,]-8,2]$.

$e)$ $\displaystyle\sum_{n=1}^{\infty} \frac{x^n}{n^n}$

Appliquons le critère de la racine n^e pour les séries entières.

Ici, $a_n = \dfrac{1}{n^n}$ et $\lim\limits_{n \to +\infty} \sqrt[n]{|a_n|} = \lim\limits_{n \to +\infty} \sqrt[n]{\dfrac{1}{n^n}} = \lim\limits_{n \to +\infty} \dfrac{1}{n} = 0$.

Donc le rayon de convergence est $R = +\infty$ et la série entière converge pour $]-\infty, +\infty[$.

f) $\displaystyle\sum_{n=0}^{\infty} n!\, x^n$

Appliquons le critère de d'Alembert pour les séries entières.
Ici $a_n = n!$ et

$$\lim_{n \to +\infty} \frac{a_{n+1}}{a_n} = \lim_{n \to +\infty} \frac{(n+1)!}{n!} = \lim_{n \to +\infty} \frac{(n+1)n!}{n!}$$

$$= \lim_{n \to +\infty} (n+1) = +\infty.$$

D'après le critère, la série entière converge uniquement pour la valeur de $x = 0$.

RÉPONSE

a) $\quad x \in [-1, 1]$

b) $\quad x \in \left] -\dfrac{1}{3}, \dfrac{1}{3} \right[$

c) $\quad x \in [-1, 1[$

d) $\quad x \in]-8, 2]$

e) $\quad x \in]-\infty, +\infty[$

f) $\quad x = 0$

54. **Déterminer le rayon de convergence de la série** $\displaystyle\sum_{n=1}^{\infty} \frac{n^n}{n!}\, x^n$.

SOLUTION

Appliquons le critère de d'Alembert pour les séries entières.

Ici $a_n = \dfrac{n^n}{n!}$ et

$$\lim_{n \to +\infty} \frac{a_{n+1}}{a_n} = \lim_{n \to +\infty} \frac{\dfrac{(n+1)^{n+1}}{(n+1)!}}{\dfrac{n^n}{n!}} = \lim_{n \to +\infty} \frac{(n+1)^n (n+1) n!}{n^n (n+1)!}$$

$$= \lim_{n \to +\infty} \left(\frac{n+1}{n} \right)^n = \lim_{n \to +\infty} \left(1 + \frac{1}{n} \right)^n = e \, .$$

Donc le rayon de convergence est $R = \dfrac{1}{e}$.

RÉPONSE

$$R = \frac{1}{e}$$

55. **Trouver l'intervalle de convergence de la série** $\displaystyle\sum_{n=1}^{\infty} \frac{1}{n \sqrt[3]{n}} x^n$.

SOLUTION

Trouvons le rayon de convergence par le critère de d'Alembert.

Ici $a_n = \dfrac{1}{n \sqrt[3]{n}}$ et

$$\lim_{n \to +\infty} \left| \frac{a_{n+1}}{a_n} \right| = \lim_{n \to +\infty} \frac{\dfrac{1}{(n+1)\sqrt[3]{n+1}}}{\dfrac{1}{n \sqrt[3]{n}}} = \lim_{n \to +\infty} \frac{n\sqrt[3]{n}}{(n+1)\sqrt[3]{n+1}}$$

$$= \lim_{n \to +\infty} \frac{1}{\left(1 + \dfrac{1}{n}\right)\sqrt[3]{1 + \dfrac{1}{n}}} = 1 \, .$$

Donc $R = 1$ et la série converge absolument dans l'intervalle $]-1, 1[$.

Si nous cherchons l'intervalle de convergence d'une série entière, nous devons toujours étudier la convergence de la série aux extrémités de l'intervalle de convergence.

Pour $x = -1$, la série devient $\displaystyle\sum_{n=1}^{\infty} \frac{(-1)^n}{n \sqrt[3]{n}}$. En appliquant le test des séries alternées, nous trouvons que cette série converge.

Pour $x = 1$, la série devient $\displaystyle\sum_{n=1}^{\infty} \frac{1}{n \sqrt[3]{n}} = \sum_{n=1}^{\infty} \frac{1}{n^{4/3}}$. C'est une série

de Riemann convergente ($p = \dfrac{4}{3} > 1$).

Donc la série donnée converge dans l'intervalle $[-1, 1]$.

RÉPONSE

$[-1, 1]$

SÉRIES DE TAYLOR

- **THÉORÈME DE TAYLOR**

  Si f est une fonction dérivable $n+1$ fois dans un intervalle contenant le point x_0, alors pour tout x dans l'intervalle, il existe au moins un point c entre x_0 et x tel que

  $$f(x) = f(x_0) + f'(x_0)(x - x_0) + \ldots$$

  $$+ \frac{f^{(n)}(x_0)}{n!}(x - x_0)^n + R_n(x)$$

  où

  $$R_n(x) = \frac{f^{(n+1)}(c)}{(n+1)!}(x - x_0)^{n+1}$$

  est appelé le terme erreur ou un résidu.

- **SÉRIE DE TAYLOR :** Soit f une fonction indéfiniment dérivable sur un intervalle contenant le point x_0. On appelle série de Taylor de f autour du point x_0 la série de la forme

  $$\sum_{n=0}^{\infty} \frac{f^{(n)}(x_0)}{n!}(x - x_0)^n$$

  où

  $$f^0(x_0) = f(x_0).$$

- **SÉRIE DE MACLAURIN :** Si, dans la série de Taylor, nous posons $x_0 = 0$, nous obtenons un cas particulier de cette série

  $$\sum_{n=0}^{\infty} \frac{f^{(n)}(0)}{n!} x^n$$

  appelée série de Maclaurin de la fonction f.

Exercices

56. Trouver la série de Maclaurin des fonctions suivantes.

a) $f(x) = x e^x$

b) $f(x) = (x - \pi) \sin \pi x$

SOLUTION

a) $f(x) = x e^x$

Trouvons d'abord la série de Maclaurin de $g(x) = e^x$ qui est une fonction indéfiniment dérivable dans $\mathbb{R}$. Nous avons

$$g(x) = e^x \qquad g(0) = 1$$
$$g'(x) = e^x \qquad g'(0) = 1$$
$$g''(x) = e^x \qquad g''(0) = 1$$
$$\dots \qquad\qquad \dots$$
$$g^{(n)}(x) = e^x \qquad g^{(n)}(0) = 1.$$

Alors

$$\sum_{n=0}^{\infty} \frac{g^{(n)}(0)}{n!} x^n = \sum_{n=0}^{\infty} \frac{1}{n!} x^n .$$

Pour obtenir la série de Maclaurin de la fonction f, il suffit de multiplier cette série par x.

$$x \sum_{n=0}^{\infty} \frac{1}{n!} x^n = \sum_{n=0}^{\infty} \frac{1}{n!} x^{n+1} = x + x^2 + \frac{1}{2!} x^3 + \dots + \frac{1}{n!} x^{n+1} + \dots$$

Le calcul direct des coefficients de la série de Maclaurin de la fonction f est également possible, mais un peu plus compliqué.

b) $f(x) = (x - \pi) \sin \pi x$

Trouvons d'abord la série de Maclaurin de la fonction g, telle que $g(x) = \sin \pi x$, qui est une fonction indéfiniment dérivable dans $\mathbb{R}$. Nous avons

$$g(x) = \sin \pi x \qquad g(0) = 0$$
$$g'(x) = \pi \cos \pi x \qquad g'(0) = \pi$$
$$g''(x) = -\pi^2 \sin \pi x \qquad g''(0) = 0$$
$$g^{(3)}(x) = -\pi^3 \cos \pi x \qquad g^{(3)}(0) = -\pi^3$$
$$g^{(4)}(x) = \pi^4 \sin \pi x \qquad g^{(4)}(0) = 0$$
$$g^{(5)}(x) = \pi^5 \cos \pi x \qquad g^{(5)}(0) = \pi^5$$
$$g^{(6)}(x) = -\pi^6 \sin \pi x \qquad g^{(6)}(0) = 0$$
$$g^{(7)}(x) = -\pi^7 \cos \pi x \qquad g^{(7)}(0) = -\pi^7$$
$$g^{(8)}(x) = \pi^8 \sin \pi x \qquad g^{(8)}(0) = 0.$$

Nous constatons que les dérivées d'ordre pair en $x = 0$ sont toujours nulles

$$g^{(2n)}(0) = 0 .$$

Pour les dérivées d'ordre impair en $x = 0$, nous trouvons facilement la formule générale

$$g^{(2n+1)}(0) = (-1)^n \pi^{2n+1} .$$

Alors la série de Maclaurin de la fonction g est

$$\sum_{n=0}^{\infty} (-1)^n \frac{\pi^{2n+1}}{(2n+1)!} x^{2n+1} .$$

En multipliant cette série par le facteur $(x - \pi)$, nous obtenons la série de Maclaurin de la fonction f.

$$(x - \pi) \sum_{n=0}^{\infty} (-1)^n \frac{\pi^{2n+1}}{(2n+1)!} x^{2n+1}$$

$$= (x - \pi) \left[\pi x - \frac{\pi^3}{3!} x^3 + \frac{\pi^5}{5!} x^5 + \ldots + (-1)^n \frac{\pi^{2n+1}}{(2n+1)!} x^{2n+1} + \ldots \right]$$

$$= \left[\pi x^2 - \frac{\pi^3}{3!} x^4 + \frac{\pi^5}{5!} x^6 + \ldots + (-1)^n \frac{\pi^{2n+1}}{(2n+1)!} x^{2n+2} + \ldots \right]$$

$$- \left[\pi^2 x - \frac{\pi^4}{3!} x^3 + \frac{\pi^6}{5!} x^5 + \ldots + (-1)^n \frac{\pi^{2n+2}}{(2n+1)!} x^{2n+1} + \ldots \right]$$

$$= -\pi^2 x + \pi x^2 + \frac{\pi^4}{3!} x^3 - \frac{\pi^3}{3!} x^4 - \frac{\pi^6}{5!} x^5 + \frac{\pi^5}{5!} x^6 + \ldots$$

$$\ldots + (-1)^{n+1} \frac{\pi^{2n+2}}{(2n+1)!} x^{2n+1} + (-1)^n \frac{\pi^{2n+1}}{(2n+1)!} x^{2n+2} + \ldots$$

Le calcul direct des coefficients de la série de Maclaurin de la fonction f est baucoup plus compliqué.

RÉPONSE

$a)$ $x + x^2 + \dfrac{1}{2!} x^3 + \dfrac{1}{3!} x^4 + \ldots + \dfrac{1}{n!} x^{n+1} + \ldots$

$b)$ $-\pi^2 x + \pi x^2 + \dfrac{\pi^4}{3!} x^3 - \dfrac{\pi^3}{3!} x^4 - \dfrac{\pi^6}{5!} x^5 + \dfrac{\pi^5}{5!} x^6 + \ldots$

$\ldots + (-1)^{n+1} \dfrac{\pi^{2n+2}}{(2n+1)!} x^{2n+1} + (-1)^n \dfrac{\pi^{2n+1}}{(2n+1)!} x^{2n+2} + \ldots$

57. **Trouver la série de Taylor de chacune des fonctions f suivantes autour du point x_0 donné et déterminer l'intervalle de convergence.**

$a)$ $f(x) = \ln x$ $\qquad x_0 = 1$

$b)$ $f(x) = \dfrac{1}{x+1}$ $\qquad x_0 = 4$

SOLUTION

$a)$ $f(x) = \ln x$ $\qquad x_0 = 1$

1re méthode (directe)

Calculons directement les coefficients de la série de Taylor de la fonction f autour $x_0 = 1$.

$f(x) = \ln x$ $\qquad\qquad\qquad f(1) = 0$

$f'(x) = \dfrac{1}{x} = x^{-1}$ $\qquad\qquad f'(1) = 1$

$f''(x) = -x^2$ $\qquad\qquad\qquad f''(1) = -1$

$f^{(3)}(x) = 2x^{-3}$ $\qquad\qquad\quad f^{(3)}(1) = 2$

$$f^{(4)}(x) = -3! \, x^{-4} \qquad\qquad f^{(4)}(1) = -3!$$

...   ...

$$f^{(n)}(x) = (-1)^{n-1}(n-1)! \, x^{-n} \qquad f^{(n)}(1) = (-1)^{n-1}(n-1)!$$

En substituant ces résultats dans la formule

$$\sum_{n=0}^{\infty} \frac{f^{(n)}(x_0)}{n!}(x - x_0)^n \text{ , nous obtenons}$$

$$\sum_{n=1}^{\infty} \frac{(-1)^{n-1}(n-1)!}{n!}(x-1)^n = \sum_{n=1}^{\infty} \frac{(-1)^{n-1}}{n}(x-1)^n \ .$$

Nous commençons la sommation à $n = 1$, car
$f^{(0)}(1) = f(1) = 0$.

Pour trouver l'intervalle de convergence calculons (comparer l'exercice 53 d)

$$\lim_{n \to +\infty} \left| \frac{a_{n+1}}{a_n} \right| = \lim_{n \to +\infty} \left| \frac{\dfrac{(-1)^n}{n+1}(x-1)^{n+1}}{\dfrac{(-1)^{n-1}}{n}(x-1)^n} \right| = \lim_{n \to +\infty} \left| \frac{-n}{n+1}(x-1) \right|$$

$$= |x-1| \lim_{n \to +\infty} \frac{n}{n+1} = |x-1|$$

Si $|x-1| < 1$ la série converge, si $|x-1| > 1$ la série diverge.
Étudions la nature de la série dans le cas où $|x-1| = 1$, c'est-à-dire si $x-1 = -1$ ou si $x-1 = 1$.
Soit $x-1 = -1$. La série devient

$$\sum_{n=1}^{\infty} \frac{(-1)^{n-1}}{n}(-1)^n = \sum_{n=1}^{\infty} \frac{(-1)^{2n-1}}{n} = -\sum_{n=1}^{\infty} \frac{1}{n}$$

qui est une série divergente (la série harmonique $\displaystyle\sum_{n=1}^{\infty} \frac{1}{n}$ diverge).

Soit $x - 1 = 1$. La série devient

$$\sum_{n=1}^{\infty} \frac{(-1)^{n-1}}{n} 1^n = \sum_{n=1}^{\infty} \frac{(-1)^{n-1}}{n}$$

qui est une série convergente (d'après le test des séries alternées).

Donc, la série converge si $-1 < x - 1 \leq 1$, c'est-à-dire pour tout $x \in \,]0, 2]$.

Nous écrivons

$$\ln x = \sum_{n=1}^{\infty} \frac{(-1)^{n-1}}{n} (x - 1)^n \quad \text{pour tout } x \in \,]0, 2].$$

2e méthode (indirecte)

 REMARQUE Pour trouver les séries de Taylor de certaines fonctions, nous pouvons utiliser les séries de référence qui apparaissent dans le tableau ci-dessous. Ce sont toutes des séries de Maclaurin.

TABLEAU DES SÉRIES DE RÉFÉRENCE

fonction	série de Maclaurin	intervalle de conv.
$\dfrac{1}{1-x}$	$\displaystyle\sum_{n=0}^{\infty} x^n$	$]-1, 1[$
e^x	$\displaystyle\sum_{n=0}^{\infty} \frac{x^n}{n!}$	$]-\infty, +\infty[$
$\sin x$	$\displaystyle\sum_{n=0}^{\infty} (-1)^n \frac{x^{2n+1}}{(2n+1)!}$	$]-\infty, +\infty[$
$\cos x$	$\displaystyle\sum_{n=0}^{\infty} (-1)^n \frac{x^{2n}}{(2n)!}$	$]-\infty, +\infty[$
$\ln(1+x)$	$\displaystyle\sum_{n=0}^{\infty} (-1)^n \frac{x^{n+1}}{n+1}$	$]-1, 1]$
$(1+x)^m$	$1 + \displaystyle\sum_{n=1}^{\infty} \frac{m(m-1)\ldots(m-n+1)}{n!} x^n$	$]-1, 1[$

Transformons la fonction donnée comme suit

$\ln x = \ln(1 + x - 1) = \ln(1 + z)$ où $z = x - 1$.

D'après le tableau, nous avons

$$\ln(1 + z) = \sum_{n=0}^{\infty} (-1)^n \frac{z^{n+1}}{n+1} \text{ pour } z \in]-1,1] .$$

En substituant dans cette formule $z = x - 1$, nous obtenons

$$\ln x = \sum_{n=0}^{\infty} (-1)^n \frac{(x-1)^{n+1}}{n+1} \text{ pour } x - 1 \in]-1,1],$$

c'est-à-dire pour $x \in]0,2]$.

Les résultats obtenus dans les deux méthodes, soit les séries

$$\sum_{n=1}^{\infty} \frac{(-1)^{n-1}}{n} (x-1)^n \text{ et } \sum_{n=0}^{\infty} (-1)^n \frac{(x-1)^{n+1}}{n+1}$$

sont équivalents. Nous pouvons le vérifier en développant chacune des séries.

---

b) $\quad f(x) = \dfrac{1}{x+1} \qquad x_0 = 4$

Ici, nous pouvons utiliser la série de référence suivante

$$\frac{1}{1-x} = \sum_{n=0}^{\infty} x^n \text{ pour } x \in]-1,1[.$$

Transformons l'expression de la fonction f comme suit

$$f(x) = \frac{1}{x+1} = \frac{1}{x-4+5} = \frac{1}{5 - [-(x-4)]} = \frac{1}{5} \frac{1}{1 - \left(-\dfrac{x-4}{5}\right)} .$$

Posons $z = -\dfrac{x-4}{5}$. Donc $f(x) = \dfrac{1}{5} \dfrac{1}{1-z}$ où $z = -\dfrac{x-4}{5}$.

Nous avons $\dfrac{1}{1-z} = \sum_{n=0}^{\infty} z^n$ pour $z \in]-1,1[$.

Après la substitution $z = -\dfrac{x-4}{5}$, nous obtenons

$$\frac{1}{x+1} = \frac{1}{5}\sum_{n=0}^{\infty}\left(-\frac{x-4}{5}\right)^n = \sum_{n=0}^{\infty}\frac{(-1)^n}{5^{n+1}}(x-4)^n$$

pour $-\dfrac{x-4}{5} \in \,]-1,1[$, c'est-à-dire pour $x \in \,]-1,9[$.

RÉPONSE

$a)$ $\ln x = \displaystyle\sum_{n=1}^{\infty}\frac{(-1)^{n-1}}{n}(x-1)^n$ pour $x \in \,]0,2]$

$b)$ $\dfrac{1}{x+1} = \displaystyle\sum_{n=0}^{\infty}\frac{(-1)^n}{5^{n+1}}(x-4)^n$ pour $x \in \,]-1,9[$

58. **Soit la fonction *f* définie par**

$$f(x) = \frac{1}{1+x^2}\,.$$

Utiliser le développement de cette fonction en série de Maclaurin pour trouver la valeur de la 9e et de la 10e dérivée en $x = 0$.

SOLUTION

Si nous connaissons le développement d'une fonction en série de Maclaurin $\displaystyle\sum_{n=0}^{\infty}\frac{f^{(n)}(0)}{n!}x^n$, nous pouvons facilement trouver sa n^e dérivée en $x = 0$.

Transformons l'expression de la fonction *f* comme suit

$$f(x) = \frac{1}{1+x^2} = \frac{1}{1-\left(-x^2\right)} = \frac{1}{1-z} \text{ où } z = -x^2\,.$$

Nous savons que $\dfrac{1}{1-z} = \displaystyle\sum_{n=0}^{\infty}z^n$ pour $z \in \,]-1,1[$.

Donc

$$\frac{1}{1+x^2} = \sum_{n=0}^{\infty}\left(-x^2\right)^n = \sum_{n=0}^{\infty}(-1)^n x^{2n} \text{ pour } -x^2 \in \,]-1,1[\,,$$

c'est-à-dire pour $x \in \,]-1,1[$.

Maintenant, comparrons la formule du développement en série de Maclaurin d'une fonction f

$$f(x) = \sum_{n=0}^{\infty} \frac{f^{(n)}(0)}{n!} x^n = f(0) + \frac{f'(0)}{1!} x + \frac{f''(0)}{2!} x^2 + \ldots$$

avec la série que nous venons de trouver

$$\frac{1}{1+x^2} = \sum_{n=0}^{\infty} (-1)^n x^{2n} = 1 - x^2 + x^4 - x^6 + x^8 - \ldots$$

Nous déduisons deux formules : l'une pour les coefficients dans lesquels l'ordre de la dérivée de f est pair

$$\frac{f^{(2n)}(0)}{(2n)!} = (-1)^n,$$

l'autre pour les coefficients dans lesquels l'ordre de la dérivée de f est impair

$$\frac{f^{(2n+1)}(0)}{(2n+1)!} = 0.$$

En utilisant ces formules, nous trouvons $f^{(9)}(0) = 0$ et

$$\frac{f^{(10)}(0)}{10!} = \frac{f^{(2\times5)}(0)}{10!} = (-1)^5 = -1 \text{ d'où } f^{(10)}(0) = -10!.$$

RÉPONSE

$$f^{(9)}(0) = 0$$

$$f^{(10)}(0) = -10!$$

59. **Utiliser les séries entières pour évaluer les limites suivantes.**

  $a)$ $\lim\limits_{x \to 0} \dfrac{1 - \cos x}{x^2}$

  $b)$ $\lim\limits_{x \to 0} \dfrac{\sin x - \tan x}{x^3}$

  $c)$ $\lim\limits_{x \to 1} \dfrac{\ln x}{1 - x}$

SOLUTION

$a)$ $\displaystyle\lim_{x\to 0}\frac{1-\cos x}{x^2}$

Dans le calcul de cette limite nous pouvons remplacer la fonction cosinus par son développement en série de Maclaurin, soit

$\displaystyle\sum_{n=0}^{\infty}(-1)^n\frac{x^{2n}}{(2n)!}$ (voir le tableau des séries de références). Alors

$$\lim_{x\to 0}\frac{1-\cos x}{x^2}=\lim_{x\to 0}\frac{1-\displaystyle\sum_{n=0}^{\infty}(-1)^n\frac{x^{2n}}{(2n)!}}{x^2}$$

$$=\lim_{x\to 0}\frac{1-\left(1-\dfrac{x^2}{2}+\dfrac{x^4}{4!}-\ldots\right)}{x^2}=\lim_{x\to 0}\frac{\dfrac{x^2}{2}-\dfrac{x^4}{4!}+\ldots}{x^2}$$

$$=\lim_{x\to 0}\left(\frac{1}{2}-\frac{x^4}{4!}+\ldots\right)=\frac{1}{2}\ .$$

 REMARQUE

Dans ce type de problème, nous développons la fonction au numérateur jusqu'au terme en $(x-a)$ dont l'exposant est le même que celui du terme en $(x-a)$ au dénominateur. Après la simplification, les termes restants en $(x-a)$ vont tendre vers 0 quand x va tendre vers a.

$b)$ $\displaystyle\lim_{x\to 0}\frac{\sin x-\tan x}{x^3}$

La fonction sinus peut être remplacée par la formule de Maclaurin avec le terme erreur $R_3(x)$, soit

$$\sin x = x-\frac{x^3}{3!}+R_3(x)$$

Pour trouver la même formule pour la fonction tangente, nous calculons

$$f(x) = \tan x \qquad\qquad\qquad f(0) = 0$$

$$f'(x) = \frac{1}{\cos^2 x} = \cos^{-2} x \qquad\qquad f'(0) = 1$$

$$f''(x) = 2\cos^{-3} x \sin x \qquad\qquad f''(0) = 0$$

$$f^{(3)}(x) = -3!\cos^{-4} x \sin^2 x + 2\cos^{-3} x \cos x$$

$$= -3!\cos^{-4} x \sin^2 x + 2\cos^{-2} x \qquad f^{(3)}(0) = 2.$$

Ainsi

$$\tan x = x + \frac{2}{3!} x^3 + \widetilde{R}_3(x) \,.$$

D'après le théorème de Taylor (avec $x_0 = 0$),

$$R_3(x) = \frac{f^{(4)}(c)}{4!} x^4 \,,\ \text{alors}$$

$$\lim_{x \to 0} \frac{R_3(x)}{x^3} = \lim_{x \to 0} \frac{f^{(4)}(c)x^4}{4! \, x^3} = \lim_{x \to 0} \frac{f^{(4)}(c)}{4!} x = 0 \,.$$

Par conséquent,

$$\lim_{x \to 0} \frac{\sin x - \tan x}{x^3}$$

$$= \lim_{x \to 0} \frac{\left(x - \dfrac{x^3}{3!} + R_3(x)\right) - \left(x + \dfrac{2}{3!} x^3 + \widetilde{R}_3(x)\right)}{x^3}$$

$$= \lim_{x \to 0} \frac{-\dfrac{1}{2} x^3 + R_3(x) + \widetilde{R}_3(x)}{x^3}$$

$$= \lim_{x \to 0} \left(-\frac{1}{2} + \frac{R_3(x)}{x^3} - \frac{\widetilde{R}_3(x)}{x^3} \right) = -\frac{1}{2} \,.$$

c) $\quad \displaystyle\lim_{x \to 1} \frac{\ln x}{1 - x}$

Pour simplifier le facteur $(1 - x)$ au dénominateur, nous écrivons la fonction logarithmique sous la forme d'une série de puissances en $(x - 1)$, c'est-à-dire en série de Taylor autour du point $x_0 = 1$. À l'exercice 57 a, nous avons montré que

$$\ln x = \sum_{n=1}^{\infty} (-1) \frac{(x-1)^n}{n} = (x-1) - \frac{(x-1)^2}{2} + \frac{(x-1)^3}{3} - \dots$$

pour $x \in \left]0,2\right]$.

En utilisant ce résultat, nous trouvons

$$\lim_{x \to 1} \frac{\ln x}{1-x} = \lim_{x \to 1} \frac{(x-1) - \dfrac{(x-1)^2}{2} + \dfrac{(x-1)^3}{3} - \dots}{-(x-1)}$$

$$= \lim_{x \to 1} \left(-1 + \frac{x-1}{2} - \frac{(x-1)^2}{3} + \dots \right) = -1 .$$

RÉPONSE

a) $\displaystyle \lim_{x \to 0} \frac{1 - \cos x}{x^2} = \frac{1}{2}$

b) $\displaystyle \lim_{x \to 0} \frac{\sin x - \tan x}{x^3} = -\frac{1}{2}$

c) $\displaystyle \lim_{x \to 1} \frac{\ln x}{1-x} = -1$

6 DÉRIVATION ET INTÉGRATION DES SÉRIES DE PUISSANCES

Soit f une fonction, telle que

$$f(x) = \sum_{n=0}^{\infty} a_n(x - x_0)^n \quad \text{pour tout } x \in \,]x_0 - R, x_0 + R[\,.$$

- **THÉORÈME** (dérivation d'une série de puissances)
  La fonction f est dérivable dans l'intervalle $]x_0 - R, x_0 + R[$ et

$$f'(x) = \sum_{n=1}^{\infty} n\, a_n(x - x_0)^{n-1}$$

  pour tout $x \in \,]x_0 - R, x_0 + R[\,.$

- **THÉORÈME** (intégration d'une série de puissances)
  La fonction f est continue dans l'intervalle $]x_0 - R, x_0 + R[$ et

$$\int_a^b f(x)\,dx = \sum_{n=0}^{\infty} a_n \int_a^b (x - x_0)^n\,dx$$

  pour tout a et b dans l'intervalle $]x_0 - R, x_0 + R[\,.$

Exercices

60. Calculer

$$\int_0^1 e^{-\frac{x^2}{2}}\,dx\,.$$

Arrondir la valeur de l'intégrale au centième près.

SOLUTION

$$\int_0^1 e^{-\frac{x^2}{2}} dx$$

L'intégrale ne peut pas être évaluée directement car l'intégrande ne possède pas de primitive. Cependant, nous pouvons l'évaluer en utilisant les séries de puissances.

Posons $z = -\dfrac{x^2}{2}$. Alors $e^{-\frac{x^2}{2}} = e^z$.

Nous savons que $e^z = \displaystyle\sum_{n=0}^{\infty} \frac{z^n}{n!}$ pour tout $z \in \mathbb{R}$.

Ainsi,

$$e^{-\frac{x^2}{2}} = \sum_{n=0}^{\infty} \frac{\left(-\dfrac{x^2}{2}\right)^n}{n!} = \sum_{n=0}^{\infty} \frac{(-1)^n x^{2n}}{n! \, 2^n} \quad \text{pour tout } x \in \mathbb{R}.$$

En utilisant le theorème sur l'intégration d'une série de puissances, nous trouvons

$$\int_0^1 e^{-\frac{x^2}{2}} dx = \int_0^1 \sum_{n=0}^{\infty} \frac{(-1)^n}{n! \, 2^n} x^{2n} dx = \sum_{n=0}^{\infty} \int_0^1 \frac{(-1)^n}{n! \, 2^n} x^{2n} dx$$

$$= \sum_{n=0}^{\infty} \frac{(-1)^n}{n! \, 2^n} \frac{x^{2n+1}}{2n+1} \Big|_0^1 = \sum_{n=0}^{\infty} \frac{(-1)^n}{2^n \, n! \, (2n+1)}$$

$$= 1 - \frac{1}{2 \times 3} + \frac{1}{2^2 \times 2! \times 5} - \frac{1}{2^3 \times 3! \times 7} + \ldots$$

Calculons la somme des deux premiers termes. Nous obtenons

$$\int_0^1 e^{-\frac{x^2}{2}} dx \approx 1 - \frac{1}{6} = \frac{5}{6} = 0{,}8\bar{3} \approx 0{,}83.$$

Calculons la somme des trois premiers termes. Nous obtenons

$$\int_0^1 e^{-\frac{x^2}{2}} dx \approx 1 - \frac{1}{6} + \frac{1}{40} = \frac{103}{120} = 0{,}858\bar{3} = 0{,}86.$$

Calculons la somme des quatre premiers termes. Nous obtenons

$$\int_0^1 x^{-\frac{x^2}{2}} dx \approx 1 - \frac{1}{6} + \frac{1}{40} - \frac{1}{336} = \frac{479}{560} \approx 0{,}86.$$

Nous voyons que pour obtenir une approximation arrondie au centième près, il suffit de prendre les trois premiers termes de la somme.

Si nous ajoutons les termes suivants, le chiffre des centièmes ne change pas.

RÉPONSE

$$\int_0^1 e^{-\frac{x^2}{2}} dx = \sum_{n=0}^{\infty} \frac{(-1)^n}{2^n \, n! \, (2n+1)}$$

$$\int_0^1 e^{-\frac{x^2}{2}} dx \approx 0{,}86$$

61. **A l'aide d'une série de puissances, trouver la somme de la série numérique suivante.**

$$\sum_{n=0}^{\infty} \frac{n+1}{2^n}$$

SOLUTION

$$\sum_{n=0}^{\infty} \frac{n+1}{2^n}$$

D'abord, remarquons que la série $\displaystyle\sum_{n=0}^{\infty} \frac{n+1}{2^n}$ est obtenue en substi-

tuant $x = \dfrac{1}{2}$ dans la série de puissances $\displaystyle\sum_{n=0}^{\infty} (n+1)x^n$.

Ensuite, utilisons la formule de dérivation

$$\left(x^{n+1}\right)' = (n+1)x^n$$

et le théorème sur la dérivation d'une série de puissances pour montrer que

$$\sum_{n=0}^{\infty}(n+1)x^n = \sum_{n=0}^{\infty}\left(x^{n+1}\right)' = \left(\sum_{n=0}^{\infty} x^{n+1}\right)' = \left(x\sum_{n=0}^{\infty} x^n\right)'$$

$$= \left(x\,\frac{1}{1-x}\right)' = \left(\frac{x}{1-x}\right)' = \frac{1(1-x)-x(-1)}{(1-x)^2} = \frac{1}{(1-x)^2} \ .$$

L'égalité $\displaystyle\sum_{n=0}^{\infty}(n+1)x^n = \frac{1}{(1-x)^2}$

est vraie pour tout x qui appartient à la fois à l'intervalle de convergence de la série $\displaystyle\sum_{n=0}^{\infty} x^{n+1}$, soit $]-1,1[$ (voir le théorème sur la dérivation d'une série de puissances) et à l'intervalle de convergence de la série $\displaystyle\sum_{n=0}^{\infty} x^n$, soit $]-1,1[$, dans lequel l'égalité

$\displaystyle\sum_{n=0}^{\infty} x^n = \frac{1}{1-x}$ est vraie (voir le tableau des séries de référence).

Puisque $x = \dfrac{1}{2} \in]-1,1[$, alors

$$\sum_{n=0}^{\infty} (n+1)\left(\frac{1}{2}\right)^n = \frac{1}{\left(1 - \dfrac{1}{2}\right)^2} = 4$$

SOLUTION

$$\sum_{n=0}^{\infty} \frac{n+1}{2^n} = 4$$

DANS LA MÊME COLLECTION

Au secondaire

Pour réussir CHIMIE 534
Pour réussir FRANÇAIS 560
Pour réussir PHYSIQUE 416-436
Pour réussir HISTOIRE 414

Au collégial

Pour réussir HISTOIRE DE LA CIVILISATION OCCIDENTALE
Pour réussir MATH 103
Pour réussir MATH 105
Pour réussir HISTOIRE DES ÉTATS-UNIS
Pour réussir LE TEST DE FRANÇAIS DES COLLÈGES ET DES UNIVERSITÉS

'ik hou van je'

Vergeet nooit de meest belangrijke bron van vertrouwen: je kinderen vertellen dat je van hen houdt. Een klopje op de schouder, een knuffel of alleen maar 'ik houd van je' laat je kinderen weten hoeveel je om hen geeft en hoe belangrijk zij voor je zijn.

Ik probeer mijn twee jongens voor ze naar school gaan altijd even te knuffelen en te zeggen: 'Ik hou van je'. Als ik te druk bezig ben om eraan toe te komen, doen zij het. Ik schrijf ook berichtjes op hun lunchservetjes met teksten die zeggen dat ik van hen houd. Maar meestal zeg ik hun heel regelmatig: 'Ik hou van je'.

▷ Maggie Rody, mam en binnenhuisarchitecte

Gewoon een complimentje

Probeer om altijd aandacht te schenken aan de dingen die je kinderen goed doen. Misschien vegen ze hun voeten zonder dat je hen eraan hoeft te herinneren, of maken ze de afwasmachine leeg zonder dat je het vraagt. We reageren allemaal direct op een complimentje. Benoem, zo mogelijk, altijd precies wat je kind goed heeft gedaan. Probeer om in plaats van alleen maar 'goed werk' te zeggen: 'Goed werk, dat opruimen van het water dat de hond morste'.

Ik heb in de keuken een polaroidcamera binnen handbereik. Telkens als ik mijn kind iets positiefs zie doen, gil ik: 'Stop. Blijf in die houding.' Ik maak een foto en bevestig die op de koelkast met als opschrift 'Kijk wie we op mooie dingen betrapten'.

▷ Kiekgrage mam in Philadelphia

Luister eerst

Soms is het beste wat je als ouder kunt doen, je mond houden. Als kinderen behoefte hebben aan praten, kunnen ouders beter eerst luisteren voordat ze met instructies of aanwijzingen komen. Je zou weleens versteld kunnen staan van de oplossingen die je kinderen zelf aandragen.

Kinderen hebben een enorme behoefte aan gehoord te worden. Je hoeft niet altijd boven op het probleem te gaan zitten – laat ze gewoon uitpraten. Als vrijwilliger in San Quentin heb ik de laatste zeven jaar zo veel geleerd over kleine jongetjes die gevangen zitten in lichamen van grote mannen. Ze hebben zo weinig communicatievaardigheden. Ik ben tot de ontdekking gekomen dat ze het beste reageren op mensen die naar hen luisteren, hen aanmoedigen en in hen geloven – dingen die in hun kinderjaren hadden moeten gebeuren.

▷ Normandie Fallon, mam, verpleegkundige en vrijwilligster in een gevangenis

stimuleer hobby's

Stimuleer je kinderen tot het ontwikkelen van hobby's. Ook al verveel je je bij de science fiction waar je dochter zo gek op is, vraag haar naar het boek dat ze aan het lezen is. Vraag haar wat haar met name aanspreekt en luister naar de manier waarop zij het ziet.

Mijn 8-jarige zoon is gek op werken in de tuin. Als hij thuis komt met een goede cijferlijst of iets anders lovenswaardigs heeft gedaan, mag hij een beloning uitzoeken (met uitzondering van chocoladerepen of speelgoed). Hij kiest meestal voor een tuinboek of een uitstapje naar een tuincentrum om planten te kopen. Ik vind het fantastisch dat hij allerlei vaardigheden en kennis opdoet die hem later in zijn leven van dienst kunnen zijn. Ik geloof dat het ontwikkelen van interesses van kinderen hun gevoel van eigenwaarde ten goede komt.

▷ Kristine Savage, een-ouder

Welkom op het toneel

Uit onderzoeken is gebleken dat de angst om in het openbaar te spreken de nummer-één fobie is. Dus stimuleer, altijd wanneer de gelegenheid zich voordoet, je kinderen tot het spreken voor groepen, familieleden of vrienden. Het vertrouwen dat men met spreken in het openbaar verwerft, komt hun zelfwaardering ten goede.

We stelden een speciaal oudercomité samen om met nieuwe gezinnen over het zomerkamp te praten. De meisjes werden als gewaardeerde gasten behandeld – inclusief naamkaartjes, water, hapjes en een officiële introductie. Zij kregen de gelegenheid voor de groep te spreken over de grootte van het kamp. Het deed hen groeien en het was tevens reclame voor onze camping.

▷ Carol Culbertson, campinghoudster, Freedom Valley Girl Scouts

IJsbrekers

Soms hebben kinderen hulp nodig om in nieuwe omgevingen met mensen in aanraking te komen. Bespreek de omstandigheden die zich kunnen voordoen en vraag je kind om ideeën. Werk samen om tot concrete strategieën te komen, bijvoorbeeld 'Als je aankomt bij de eerste scoutingbijeenkomst, kijk dan uit naar een andere jongen die er ook voor het eerst is en ga bij hem zitten'. Praktische tips helpen kinderen potentiële stresssituaties aan te kunnen.

Mijn twee kinderen voelden zich niet op hun gemak over het overnachten tijdens het kamp en voelden zich 'nummers'. Ik stuurde het hele kamp ijslolly's voor de pauze als kennismakingscadeautje van Cait en Will. Dit hielp het ijs breken.

▷ Carol Solis, fotografe

Hecht waarde aan de ideeën van je kinderen

Schenk altijd aandacht aan je kinderen als ze je iets bij willen brengen. Waarderend commentaar als: 'Ik zou nooit hebben gedacht aan het gebruiken van stukjes van plastic zakken voor de staart van een vlieger – dat was een goed idee!' komt het zelfvertrouwen van je kinderen ten goede.

Toen onze zoon met rijlessen begon, leerde ik van hem een paar dingen die mijn eigen rijstijl ten goede kwamen. Telkens als hij een weg indraaide, keek hij om teneinde er zeker van te zijn dat er geen auto in de dode hoek van de spiegel zat. Ik zei: 'Wow, Brandon, ik leer van jou nog wat over autorijden'. Die techniek heeft levens gered.

▷ Tom Laganan, boekenschrijver

stimuleer
door
je manier
van doen

Geef kinderen de mogelijkheid tot kiezen

Geef je kinderen de gelegenheid te kiezen. Als ze nog heel jong zijn, laat ze dan tussen de rode en de roze sokken kiezen en als ze ouder worden tussen pianoles en kunstcursus. Kinderen krijgen meer vertrouwen door beslissingen te nemen en het ervaren van gevolgen van hun beslissingen.

Toen Sondra twee was, gaf haar grootmoeder haar een schattige bonte pettycoat. Ze was er zo weg van dat zij het niet kon uitstaan dat hij onder haar jurk moest worden weggestopt. Wekenlang bleef ze iedere keer weer als we ergens heen gingen, vragen of ze de pettycoat over haar jurk of lange broek mocht dragen. De mensen keken me verbaasd aan, maar ik dacht bij mezelf, aangezien er geen enkel gevaar in school, waarom haar niet het plezier gunnen van fier door de kinderjaren paraderen?

▷ Silvana, moeder van twee meisjes

Tijd alleen

Kinderen met een gezonde zelfwaardering voelen zich op hun gemak bij zichzelf. Ze genieten ervan zo nu en dan in hun eentje rustig te lezen, te spelen of gewoon wat te dagdromen. Plan, zo mogelijk, tijd in waarin je kinderen zichzelf bezighouden.

Op haar derde sliep Linda overdag niet meer in haar bedje. Dus leerde ik haar van 'Linda's eigen tijd' te genieten. Iedere dag vertrok ze op een vaste tijd naar haar kamer en amuseerde zich in haar eentje. Ze was vrolijk bezig met potloden, boeken, poppen of nieuw speelgoed. Tegenwoordig bevalt het haar uitstekend om zo nu en dan wat tijd door te brengen zonder haar vrienden en kamergenoten.

▷ Becky Holmquist, lerares

Souvenirdoos

Ouders kunnen zich niet voorstellen dat er een dag komt dat hun peuters het huis uit gaan. Houd kostbare herinneringen in leven door verslagen, cijferlijsten, tekeningen of foto's van tandenloze bekjes en andere kostbare momenten te bewaren in een speciale doos. Maak zo mogelijk kopieën. Als je kinderen zo ver zijn dat ze het huis uitgaan, heb je een schatkist vol herinneringen om hun mee te geven.

Ik heb van alle kinderen vanaf dat ze heel klein waren dubbele sets foto's in dozen apart gehouden, zodat zij straks hun eigen set hebben om mee te nemen als ze op zichzelf gaan wonen.

▷ Rhonda Lennon, medisch-receptioniste en Tupperware-manager

Gratis activiteiten

Vergroot de wereld van je kind met activiteiten die gratis of bijna voor niets zijn. Gebruik een idee van scouts die 'Probeer-het'-badges hebben om de meisjes allerlei mogelijke interesses onder ogen te brengen. Bezoek amateurtheaterproducties, een gratis cursus in het plaatselijke buurthuis of neem een afwijkende route als je naar de bibliotheek rijdt.

Wij begonnen met een 'opvoedkundige ervaringen'-programma waarvoor elk gezinslid een originele, goedkope activiteit voor het hele gezin moest inbrengen en organiseren. We gingen naar braderieën, vegetarische eetfestivals en zelfs een Mexicaanse kale hondenshow. Onze twee meisjes genieten van het uitproberen van nieuwe activiteiten vanwege het succes van onze 'opvoedkundige ervaringen'.

▷ Silvana, moeder van een twee meisjes

Visueel aandenken

Als je je kind met blokken een ingewikkeld bouwwerk in elkaar ziet zetten of het een bijzonder opmerkelijke tekening ziet maken, neem dan de tijd het op te nemen. Herdenk de schepping van hun meesterwerk door de hele handeling op video vast te leggen of foto's te maken van de diverse stadia van de creatie.

Mijn kinderen waren gek op forten bouwen. Het leek alsof we altijd door het hele huis en in de tuin forten in verschillende bouwfases hadden. Iedere keer dat ze een bijzonder opmerkelijke schepping maakten, nam ik een foto en plakte die in ons speciale foto-album genaamd 'Fantastische forten van Sarah en Brandon'.

▷ Moeder van twee toekomstige architecten

De kleine dingen die het doen

Het zijn de kleine, onverwachte dingen die je doet die vaak op je kinderen de meeste indruk maken. Als je daarvoor de tijd is gegund, serveer dan je kinderen een eenvoudig ontbijt op bed voordat ze naar school gaan. Verfraai het dienblad met een bloem of een kleine knuffel en lees een lievelingsverhaaltje voor terwijl zij ontbijten.

Het is in het voorjaar als de klok net vooruitgezet is, altijd moeilijk om mijn kinderen uit bed te krijgen. De lijfjes van mijn kinderen vertellen hun dat ze nog een uur mogen slapen. Om het opstaan gemakkelijker te maken, draai ik zachte muziek en breng hun fruit en toost op bed. Het helpt hen de morgen fluitend te beginnen.

▷ Moeder van een 7- en 9-jarige

Bezoek sociale evenementen

Probeer om sociale activiteiten van je kinderen op school of elders te bezoeken. Je kunt er zeker van zijn dat je kinderen ontzettend trots reageren als ze jou tijdens hun talentenshow in het publiek zien zitten.

Ondanks dat mijn vader bezig was met een chemotherapie en zijn weerstand uiterst zwak was, liep hij samen met mij naar de voorste rij van een grote mensenmenigte tijdens het afsluitingsfeest van school. Hij was zo trots mijn vader te zijn dat hij er zijn gezondheid voor op het spel zette om maar iedereen te laten weten dat ik zijn kleine meid was. Ik voelde me de gelukkigste mens op school die dag.

▷ Tara Barnes, studente

Maak een activiteitenlijst

Kinderen met een krachtig zelfbewustzijn weten meestal goed wat ze met hun vrije tijd willen doen. Je kunt ze daarbij helpen door een lijst van activiteiten te maken om hen bezig te houden en gelukkig te laten voelen. De eerstvolgende keer dat ze klagen: 'Ik verveel me', hoef je alleen maar naar de lijst te wijzen om hun een bezigheid te geven.

Ik bevestigde een lijst van favoriete bezigheden van mijn kinderen op de koelkast om wat structuur in hun vrije tijd te brengen. De lijst bracht hen op ideeën over wat ze als volgende zouden kunnen gaan doen. In plaats van dat ze gingen klagen, keken ze alleen maar even op de lijst en stortten zich meteen op het een of ander. Ze zijn met name trots op het feit dat ze deze lijst zelf hebben opgesteld.

▷ Lerares en moeder in Wisconsin

Geef creativiteit de ruimte

Voed de creativiteit in je kinderen. Zoek binnen hun wilde ideeën naar mogelijkheden. Als ze een unieke smaak ijs of hun eigen skateboard willen maken, moedig ze dan aan en zorg eventueel voor assistentie maar probeer ook om hen niet in de weg te lopen. Laat hun weten dat het acceptabel is er verschillende ideeën op na te houden. We ontmoedigen creativiteit vaak door het zeggen van dingen als: 'Je kunt met fruit niet een model van het zonnestelsel maken. Gebruik piepschuimballetjes om het er goed uit te laten zien'.

Mijn dochter heeft originele ideeën. Toen haar klas werd verondersteld een gedicht te schrijven over de lente, schreef ze over hoe de vuilnisemmer ruikt als hij vol versgemaaid gras zit. Ik moest leren haar creatieve gedachten te respecteren en stimuleren, wat me moeite kostte.

▷ Conservatieve, materialistische vader van een creatieve dochter

Lieve frutseltjes

Je kinderen zijn gek op tastbare blijken van dat jij ze geweldig vindt. Zorg voor een voorraad speciale frutseltjes (gemakkelijker gezegd dan gedaan!). Schrijf om de zoveel tijd een lief briefje, bevestig het aan zo'n dingetje en leg het op hun kussen of stop het in hun sokkenla. Een deel van hun plezier bestaat uit het vinden van dit cadeautje op zo'n onverwachte plaats.

Ik heb een zak met tienduizend rode harten, allemaal ongeveer zo groot als een gum. Mijn kinderen vinden het heerlijk als zo'n hartje uit hun rugzak, lunch, ondergoed etc. te voorschijn komt als een reminder dat ik van hen houd.

▷ Carol Solis, fotografe

Kinderen kunnen les geven

Stimuleer je kinderen hun vaardigheden met anderen te delen. Is je dochter goed in wiskunde? Misschien vindt ze het leuk om het kind van de buren dat een klas lager zit, te helpen. Stimuleer je oudste zoon om zijn jongere zus te leren hoe ze de schoenveters moet strikken. Kinderen krijgen meer vertrouwen als zij hun vaardigheden aan anderen overbrengen.

Vierde en vijfde klassers op de Silver Beach Elementary in Bellingham, Washington, doen een 'tech tutor'-programma. Ze geven iedere week aan ouderen een uur basiscomputeronderwijs en -internetgebruik. Studenten leren zo geduld aan en worden verbaal vaardiger. Een van deze leerlingen zag hoe een paar van deze mensen een muis oppakte en als afstandsbediening probeerde te gebruiken. Al heel snel waren deze senioren echter op het net aan het surfen en aan het e-mailen.

▷ Dar New, bibliothecaris, Silver Beach School

Kinderen kunnen helpen bij projecten van volwassen

Help je kinderen aan het gevoel dat ze nodig zijn door hen bijvoorbeeld om hulp te vragen bij *echte* volwassenenprojecten. Dit zou moeten gaan om andere taken dan ze gewoonlijk in en om het huis hebben. Je kunt je kinderen bijvoorbeeld vragen de hond van de oude buurman uit te laten, je adressenlijst voor kerstkaarten in de computer te zetten, of je uit de brand te helpen bij een onderhoudsklus in huis.

Wij hebben een minipaard dat Prince heet en een middenmaat paard dat Buck heet. Als mijn 5-jarige tweelingnichtjes en 8-jarige neef op bezoek zijn, vertel ik hun dat Prince en Buch er zo'n behoefte aan hebben dat er iemand met hen uit rijden gaat. Ik vertel de kinderen dat we zo lang bezig waren met de grote paarden dat we soms niet meer toekwamen aan de minipaarden. De kinderen voelen zich erg nuttig als ze gaan rijden en zorgen voor de twee paardjes.

▷ Ernie Porter, manager conferentiecentrum

Leer hun dingen waar jezelf waarde aan hecht

Leer je kinderen vaardigheden die jij belangrijk vindt. Als jij houdt van spreken in het openbaar, koken, timmeren, naaien of sporten, neem dan de tijd om deze vaardigheden op je kinderen over te dragen.

Ik leerde onze kinderen hun stem als muziekinstrument te gebruiken bij het aannemen van de telefoon. De kinderen kunnen kiezen uit een breed scala van stemmen om zichzelf op ongewone manieren vriendelijk te doen klinken. Ze krijgen vaak complimentjes van bellers over de manier waarop ze de telefoon aannemen. Ik geloof dat we onze kinderen inzicht moeten geven in onze eigen talentenschatkist.

▷ Dottie Walters, persvoorlichter en directeur van het Walters International Speakers Bureau

staande ovatie

De eerstvolgende keer dat je kinderen aan de ontbijttafel verschijnen geef je hun een staande ovatie compleet met voetengestamp en bravo's. Vertel ze dat ze een staande ovatie verdienen simpelweg omdat ze zulke fantastische zoons en dochters zijn. Hun lach en erkentelijkheid zal de eventuele ongemakkelijkheid die je hierbij voelt, meer dan goed maken.

Ons gezin houdt van Broadway-musicals. Op een zaterdagochtend nadat we naar New York waren geweest om een paar musicals te zien, gaven mijn man en ik Sondra een staande ovatie toen ze beneden kwam om te ontbijten. We klapten, floten en stonden boven op onze stoelen. Vervolgens somden we al haar fantastische eigenschappen op. Ze vond het fantastisch.

▷ Silvana, moeder van twee meisjes

Professionele behandeling

Ga bij je kinderen zitten om een of meer van hun inspirerende kunstwerken uit te zoeken. Breng de schilderijen of tekeningen naar een lijstenmaker en laat ze professioneel inlijsten. Vertel de lijstenmaker, hoe trots je bent met zulke getalenteerde kinderen. Je kinderen zullen stralen en jij bent gegarandeerd van een levenslange aanvoer van schilderijen en tekeningen.

Eenmaal per jaar kies ik van elk van mijn zoons een kunstwerk uit en laat het professioneel inlijsten. We hebben in ons huis voor deze ingelijste werken een hele muur gereserveerd. De muur is een chronologisch museum dat hun artistieke ontwikkeling laat zien. Als er familie en vrienden op bezoek komen, leveren die altijd commentaar op de kunst van mijn kinderen.

▷ Moeder van twee jongens

Leer kinderen waardering voor anderen

Mensen hebben verschillende capaciteiten en we verdienen allemaal erkenning voor onze eigen vaardigheden en kwaliteiten. Leer je kinderen waardering aan voor de capaciteiten van anderen. Kinderen krijgen een sterker karakter en meer zelfwaardering door verder dan zichzelf te kijken en waardering op te brengen voor hoe getalenteerd en verschillend wij allemaal zijn.

Vier jaar lang speelde mijn man basketbal in een team dat op zijn retour was. Mijn dochter en ik waren meestal de enigen die hen vanaf de tribune toejuichten (ook al zagen we niet erg veel spectaculaire bewegingen van dat bonte team). Als gezin vonden wij het vanzelfsprekend, omdat we altijd naar de wedstrijden van Trina gingen, ook naar de wedstrijden van haar vader te gaan.

▷ Silvana, moeder van twee meisjes

Neem je kinderen mee naar je werk

Breng je kinderen in contact met je beroepsleven. Je zou ze een keer mee naar je kantoor of op zakenreis kunnen nemen. Vraag je kinderen hoe zij met een lastige collega zouden omgaan of laat ze je helpen met eenvoudig kantoorwerk. Ze zullen zich belangrijk voelen door je bij je werk te helpen.

Mijn moeder nam me mee naar haar werk en stelde me voor aan haar collega's als haar jongste dochter. Iedereen daar kent nu mijn naam (en waarschijnlijk weten ze hoe vaak ik in de problemen raak). Het was fantastisch er achter te komen dat mijn mam overdag aan mij dacht. Wij kwamen dichter bij elkaar te staan door die ervaring.

▷ J. Harris, student

Laat kinderen hun slaapkamers inrichten

Martha Stewarts ouders voedden haar op met 'een hamer in de ene en een naald in de andere hand'. Haar ouders stimuleerden haar zelf haar kamer in te richten volgens haar eigen smaak, er was echter één maar: ze moest alles wat ze nodig had zelf maken. Waarom je eigen kinderen niet op dezelfde manier stimuleren? Leer ze gordijnen verven of laat ze zien hoe ze hun lievelingstekening kunnen inlijsten. Ze zullen trots zijn op hun verrichtingen en meer persoonlijk bij hun speciale kamer betrokken zijn.

Ook al was het soms moeilijk te accepteren, ik liet mijn kinderen zelf de kleurenschema's en grote dingen voor hun slaapkamer uitzoeken. Ik moet toegeven dat ze aardig creatief zijn geworden!

▷ Moeder die van grote witte wanden houdt

Verbreed de culturele horizon van kinderen

Reizen is een blikverruimende ervaring voor kinderen. Als je in een huis in de stad woont, maak dan zo af en toe een uitstapje naar een of ander dorp. Let op de verschillende accenten en probeer de keukens van allerlei landen. Zelfs korte uitstapjes kunnen je kinderen al in interessante omgevingen brengen.

We namen onze dochter Stephanie en onze zoon Thomas mee bij een reis van New Jersey naar Houston, Wyoming en Pennsylvania en bezochten beroemde historische en geologische plaatsen. We brachten als gezin een maand lang samen door en onze kinderen zagen veel dingen die hun vrienden misschien nooit zullen zien.

▷ Steve en Kathy Baumann, motoragent en verkoopster

Carpe diem

Toon je kinderen het stimulerende van het beetpakken van het moment. Laat ze zien hoe spontaan te zijn en in te springen op gelegenheden. Stimuleer ze een ingeving meteen in praktijk te brengen, zodat ze nooit zullen hoeven zeggen: 'Ik zou willen dat ik ... had gedaan'.

Toen mijn dochter op en dag naar school ging, realiseerde ik me dat de kippeneieren bijna moesten uitkomen. Ik deed ze in een doos en bracht ze naar haar groep met een lamp om ze warm te houden. Elk van de kinderen had een kloppend ei in handen, luisterde naar het gekras aan de binnenkant van de eierschaal en was getuige van het uitkomen van een nieuw kuikentje. Mijn dochter was trots deze gebeurtenis met haar klasgenootjes te kunnen delen.

▷ Maxine Clark, lerares

Fotoverslagen

Neem regelmatig foto's van je kinderen en zorg ervoor alledaagse dingen vast te leggen. In de voor je liggende jaren zullen je kinderen van het terugkijken naar zichzelf terwijl ze fietsen, met blokken spelen en schommelen, genieten.

Ons gezin gaat graag naar buiten om allerlei leuke dingen te doen zoals lange wandelingen maken met aansluitend een ijsje. Ik neem altijd een camera mee omdat de kinderen het leuk vinden dat er foto's van hen worden gemaakt. Ik vindt het heerlijk de foto's in de individuele albums te plakken zodat de kinderen terug kunnen kijken en zien hoe ze gegroeid zijn. De foto's geven vaak aanleiding tot prachtige verhalen. Ik geloof dat deze albums hun het gevoel geven dat we echt van hen houden.

▷ Anne Hotchkiss, moeder van vier en huismoeder

Zorg voor contact met je kinderen

Kinderen ervaren de wereld op een luchthartige manier. Speel met hen en lach om hun dwaze grappen. Doe alsof je niet weet dat het windkussen op je stoel ligt. Lach als ze je hun dagelijkse belevenissen vertellen en zorg voor zo veel mogelijk oogcontact.

Bij het werken met jonge wetsovertreders, ontbreken vaak twee aanwijzingen voor zelfwaardering: direct oogcontact en glimlachen. Ik probeer mijn kinderen aan te kijken en tegen ze te lachen zo vaak maar mogelijk.

▷ Tom Laganan, boekenschrijver

Doe dat kleine beetje extra

Ga voorbij het gebruikelijke om je kinderen het gevoel te geven dat ze speciaal zijn. Ja, het kost extra tijd dat speciale paar gestreepte sokken te vinden dat ze willen. Ja, je moet misschien even je krant neerleggen omdat je zoon je hulp wil om te oefenen voor een speurtocht van school. Probeer het niet te laten merken als er wat extra inspanning van je wordt gevraagd.

Toen mijn dochter met haar pijnlijke leukemie behandelingen begon, mocht ze na iedere behandeling een klein speelgoedje uit een cadeautjesdoos halen. Ik kocht daarvoor speciaal het speelgoed waarvan ik wist dat ze het graag wou hebben en stopte het net voordat het haar beurt was om iets te kiezen in de doos.

▷ Nancy Keene, schrijfster

Respecteer de meningen van je kinderen

Het is normaal voor ouders om voor hun kinderen speciale dingen te willen. Ouders kunnen heel hoge verwachtingen hebben en hun kind al als een hartelijke, extraverte, muzikale atleet zien terwijl het kind zelf al tevreden is met zijn studie en creativiteit. Moedig je kinderen aan nieuwe activiteiten uit te proberen maar zorg er wel voor hun fundamentele persoonlijke zaken en meningen te respecteren.

Mijn ouders kwamen me toen ik op kamp was, ophalen omdat ik weigerde hotdogs te eten en hamburgers. De kampleider in Omaha snapte mijn vegetarische gewoonten niet. Ik was al bijna mijn hele leven een vegetariër. Mijn ouders aten wel vlees maar zij stonden altijd achter mijn besluit geen vlees te eten, wat echt niet populair was in een stad met het ene na het andere steak-house.

▷ Gail Howerton, persvoorlichter

Kijk met de ogen van je kinderen

Vergeet niet de manier van kijken van je kinderen. Je zult nogal eens verrast worden als ze weer meer genieten van een glimmend lintje dan van een duur cadeau. Voor je kinderen kan het gedenkwaardiger zijn van speelgoedborden te eten dan te dineren in een chique restaurant.

Mijn man en ik hebben langer dan veertien jaar geen tv gehad. We brachten uren door met lezen en spelen met onze kinderen. We tuinierden, reisden en bouwden samen dingen. Ondanks al deze fantastische activiteiten samen met onze kinderen vertelde mijn 5-jarige me onlangs dat hij het meest geniet van in ons bed slapen.

▷ Dr. Barb Brock, professor, Central Washington University

Geschenken uit het hart

Neem de tijd om te genieten van de eigen-gemaakte, oprechte cadeautjes van je kinde-ren. De steen met daarop kleine stukjes sier-tape staat voor hoeveel je kind van je houdt. De van verf druipende schildering betekent dat je kind eraan dacht om alle kleuren die jij mooi vindt in het meesterwerk te gebruiken. Geef ook als je niet zeker weet wat het cadeau-tje nu eigenlijk moet voorstellen, waarderend commentaar over kleur, vorm of maat.

Ik schik de prachtige bloemen die mijn kinde-ren me brengen in een vaas op tafel. We heb-ben al van alles gekregen, wilde bloemen, paardenbloemen, de meest uiteenlopende on-kruiden en planten. Meestal klop ik er eerst de aardkluiten van af.

▷ Betty Jane Totreault, opvangmoeder

Consequenties

Als je kinderen ouder worden, stel ze dan in de gelegenheid om de gevolgen van hun doen te ervaren. Uiteindelijk zullen je kinderen de relatie tussen daden en resultaten van hun daden appreciëren. Als je kinderen hard leren voor een test is het natuurlijke gevolg daarvan meestal een goed cijfer. Als ze daarentegen tot de laatste minuut wachten om een werkstuk te maken, zal het resultaat evenredig minder van kwaliteit zijn.

Ik had ernaar uitgezien een grote rol te krijgen bij ons schooltoneel. De directeur gaf ons precies drie weken om onze tekst te leren. Mijn moeder herinnerde me heel rustig twee keer eraan mijn tekst te leren, vervolgens zei ze niets meer. Natuurlijk was het gevolg dat ik er te hooi en te gras naar keek maar mijn tekst niet uit het hoofd leerde en, mijn rol kwijtraakte aan een andere leerling. Sindsdien leer ik mijn rol altijd heel snel.

▷ Acteur en gelauwerd toneelschrijver

Kleed je voor speciale gelegenheden

Als je kinderen op school een dansuitvoering hebben, probeer dan om iets moois te dragen. Het hoeft niet een avondjurk te zijn, maar wel iets anders dan jeans of een trainingspak. Je kinderen zal het beslist opvallen dat je de tijd nam om er voor die gelegenheid mooi uit te zien.

Wij wonen in een wijk waar iedereen in vrije-tijdskleding loopt. Bij bijzondere gelegenheden op school draagt bijna iedereen jeans. Ik probeer om een kakibroek en een mooie trui te dragen en zeg tegen mijn kinderen dat ze dat waard zijn. Als een van hen de hoofdrol speelt in het toneelstuk, heb ik zelfs lipstick op.

▷ Informele, thuiswerkende mam

Wat maakt een beetje vuil nu uit?

Als je aan de cleane kant bent, probeer er dan begrip voor te hebben dat kinderen extreem actief zijn en er vaak een troep van maken. Geef ze de gelegenheid om hun schijnbaar onuitputtelijke energie kwijt te kunnen en probeer je niet verschrikkelijk zorgen te maken over schone vingernagels.

Een paar zomers terug kampeerden mijn drie jongens en ik onder de sterrenhemel terwijl kikkers, slakken en allerlei kruipende beestjes over onze slaapzakken schuifelden. Ze lachten toen ik de wc niet kon vinden (ze hadden de zaklamp verstopt). Ik wil dat mijn jongens allerlei omgevingen meemaken, van kampeerterreinen tot grote steden.

▷ Ingrid Dosta, onderwijsassistent

Doe die extra moeite

Sommige kinderen hebben meer aandacht nodig dan andere. Geef hun het extra zetje dat ze nodig hebben door alles in het werk te stellen hen telkens weer te bevestigen in hun vaardigheden en resultaten.

Ik hielp bij het opvijzelen van de zelfwaardering van mijn verlegen, te dikke 10-jarige zoon door met de plaatselijke krant contact op te nemen en over zijn hobby te vertellen. Hij had verschilde uitstapjes naar scheepvaartmusea gemaakt en die hadden hem ertoe geïnspireerd met takjes en papier kleine schepen te bouwen. De krant plaatste een foto van hem bij zijn miniatuurcreaties. Hij was heel trots.

▷ Sally G. Des Marais, moeder, grootmoeder en al 26 jaar kinderdagverblijfdirectrice

Laat kinderen aanpakken

Geef je kinderen de bij hun leeftijd passende verantwoordelijkheden. Karweitjes opknappen en een steentje bijdragen aan het welzijn van het gezin geeft kinderen een gevoel van eigenwaarde. Leg je kinderen uit hoe belangrijk het voor elk gezinslid is om zijn of haar deel te doen in het schoonmaken, koken, de hond uitlaten etc.

Toen wij klein waren maakte ons gezin jaarlijks kampeertochten in Canada. De kinderen waren verantwoordelijk voor bepaalde met het kamperen verbandhoudende taken. Ik weet nog steeds hoe verrukt mijn ouders waren over hoe goed we onze taken verrichten.

▷ Bob Zippiern, student

Positieve rolmodellen

Kijk uit naar gezonde rolmodellen voor je kinderen. Let op evenementen die verband houden met hobby's zoals bijeenkomsten van modelspoorenthousiastelingen of een postzegel- of muntenmarkt. Mensen zijn gek op praten over hun hobby's en je kinderen profiteren van het aanwezig zijn bij deze gezonde activiteiten.

Mijn zoon, Joe Seale, werd geboren in 1950 toen het in Amerika voor zwarten niet gemakkelijk was. Zijn leraren en ik wisten dat hij heel slim was, maar hij had een succesvol zwart rolmodel nodig. Ralph Bunche, voormalig ambassadeur voor de VN, was die man. Joe's vrienden vertelden hem dingen als 'Kleurlingen krijgen zo'n baan niet'. Maar Joe zei dan: 'Ik word net als Ralph Bunche. Hem is het gelukt en dus kan ik het ook'. Joe is onlangs gepromoveerd.

▷ Trotse moeder in Florida

Houd rekening met de ontwikkelingsfase van je kind

Informeer je over welk gedrag voor bepaalde leeftijden normaal is. Als je weet dat peuters heel driftig kunnen worden en tieners zich druk maken om bemoeienis van ouders, ben je beter in staat om hen te stimuleren en te helpen bij het ontwikkelen van een gezonde zelfwaardering.

Ik was zo'n typische tiener die door zijn vrienden niet samen met zijn ouders gezien wil worden. Om me door deze fase heen te helpen, namen mijn ouders me af en toe op spontane uitstapjes mee. Ze haalden me van school op met mijn bagage al gepakt en we reden naar andere steden of maakten lange tochten naar hun ouderlijk huis in Indiana. Mijn ouders zorgden ervoor dat we samen tijd doorbrachten en leerden me om me niet voor ons gezin te schamen.

▷ James McClure, student

Lach eens wat

Laat je kinderen je gevoel voor humor zien. Lachen is een prachtige manier om stress te laten verdwijnen. Laat je kinderen zien dat er niets mis is met de straat af huppelen en het uithalen van onschuldig grapjes. We maken ons vaak zo druk om regels en discipline dat we vergeten plezier te hebben.

Toen onze dochter zich klaarmaakte om voor het eerst in een plaatselijke delicatessenzaak te gaan werken, zei ze: 'Pap, ik wil niet dat je komt spioneren'. Natuurlijk, dosten mijn vrouw en ik ons buitenissig uit inclusief slobberende kleren, fluorescerende pruiken en enorme glitterbrillen. We gingen naar de delicatessenzaak en deden alsof we haar niet kenden. Ze vertelt nog steeds hoe dat hielp het ijs te breken bij haar nieuwe collega's.

▷ Allan, vader van twee meisjes

Reserveer tijd
voor
samenzijn

Teaparty

Neem op een regenachtige zaterdagmiddag de tijd voor een spontane teaparty met je kinderen. Pep elkaar op met een tussendoortje compleet met kaarsen en porseleinen theekopjes. Het formele tintje is voor je kinderen een blijk dat ze een speciale behandeling verdienen.

Ik herinner me hoe heerlijk ik het als klein meisje vond om samen met mijn moeder thee te drinken. Mijn zoon van tien vindt echter dat teaparty's voor 'watjes' zijn. Ondanks zijn bezwaren dek ik zo nu en dan de tafel met het goede servies en mooie bloemen. Als ik er maar voor zorg dat ik het brood in cirkels snijd en van 'vliegende-schotel-sandwiches' spreek, zit mijn zoon bij me en geniet van onze aangepaste teaparty.

▷ Buitenaardse-mam in Seattle

Hang wat met je kinderen

Zorg voor wat oningedeelde tijd met je kinderen waarin je gewoon wat rondhangt. Er gaat niets boven een kop warme chocola bij het lezen van een stripverhaal. Je kinderen zullen zich later de zaterdagochtend herinneren als tot twaalf uur in pyjama monopolie spelen. Er ontstaat een speciale band als een gezin samen tijd doorbrengt zonder een dwingende agenda.

Toen ik een avond mijn destijds 7-jarige zoon naar bed bracht, verraste hij mij met zijn antwoord op mijn vraag: 'Wat vond je vandaag het leukst?' Hij vertelde me dat het geweldig was geweest om me met de barbecue te helpen. We hadden niets anders gedaan dan naast de grill zitten praten, maar het had op hem heel veel indruk gemaakt.

▷ Vader en leraar

Koester alledaagse momenten

Laat je kinderen weten dat je geniet van hun gezelschap, zelfs als je met alledaagse klussen bezig bent. Je staat er versteld van, hoe vaak zich kleine gelegenheden voordoen dat je zoiets kunt zeggen als 'naar de supermarkt gaan is leuker als jij met me meegaat'. Een weekblad vroeg eens aan vijftienhonderd kinderen: 'Wat maakt een gezin tot een gelukkig gezin?' Nummer één bij de antwoorden stond: 'Samen dingen doen'.

Mijn dochter en mijn zoon vinden het heerlijk om met me in de keuken te dansen. We luisteren naar muziek terwijl we het eten klaarmaken. Als er een pauze is tussen het koken, dansen we vaak rond de tafel.

▷ Justin Mitchell, sociaal werker

simpel vermaak

Er komt altijd een moment dat je kinderen met de routine moeten breken. Houd een weekend vrij om alles achter je te laten. Het is niet nodig een heleboel geld uit te geven, zet gewoon de tv uit, trek de stekker van de telefoon eruit en zie wat er gebeurt.

We konden ons een weekend in een hotel niet permitteren, dus ruilden we van huis met vrienden aan de andere kant van de stad. Ook al wonen we slechts een paar kilometer van elkaar, toch leek het huis van onze vrienden een andere wereld. Wandelen in hun buurt was echt leuk. Beide gezinnen spraken af het antwoordapparaat in te schakelen. We relaxten en genoten van het samenzijn tijdens onze minivakantie.

▷ Moeder en bankbediende

Gezinslunch op school

Plan je dag zo dat je af en toe met je kinderen op school kunt lunchen. Jongere kinderen vinden het heerlijk met hun ouders in de kantine te zitten. Oudere kinderen geven misschien de voorkeur aan een snel uitstapje naar McDonald's. Hoe het ook zij, je kinderen krijgen de boodschap door, dat je geniet van dit samenzijn.

Ik had de gewoonte drie, vier keer per jaar mijn dochter van school op te halen. We gingen dan naar een of andere fast food *gelegenheid in de buurt en namen samen de lunch. Op een dag zette ik haar af en hoorde ik haar vriend tegen haar zeggen: 'Goh, Rachel, je vader moet ontzettend veel van je houden als hij je mee uit lunchen neemt terwijl het niet eens je verjaardag is'.*

▷ Vader en ingenieur

Tijd voor onderonsjes

Eén-op-één-tijd tussen ouder en kind is altijd speciaal. Maak een schema zodat je kinderen kunnen uitzien naar hun waardevolle tijd met jou. Noteer zo nodig de speciale tijd om je eraan te herinneren.

Ik koester een 'avond uit met de meiden' voor mijn dochters. We doen dingen als uit eten gaan, een ijsje eten, etalages kijken etc. We geven niet altijd geld uit, maar we hebben wel altijd plezier. Het is een avond die onze band op een fantastische manier ten goede komt.

▷ Susan Leaf, moeder die ooit een flinke erfenis hoopt binnen te halen

Ontdekkingen delen

Betrek je kinderen in leuke dingen die je signaleert. Ga met ze naar buiten om hen te laten zien hoe de eerste krokussen uit de modder tevoorschijn komen. Laat ze zien hoe je de scheur in het behang hebt gerepareerd. Stuur ze de regen in na een periode van droogte. Iedere dag biedt wel een gelegenheid om de ogen van je kinderen te openen voor interessante dingen in de wereld.

Ik houd ervan 'momenten van ontdekkingen' met mijn kinderen te delen. Deze momenten kunnen zo simpel zijn als het kijken naar een kikker op het grasveld of het zien van een mooie postzegel op de envelop van oma. Ik vind het heerlijk om met hen te praten over dingen die we ontdekken. Ik stimuleer de aandacht van mijn kinderen voor de kleine, mooie belevenissen van iedere dag.

▷ Dr. Barb Brock, professor,
Central Washington University

Maffe tradities

Waarom binnen je gezin niet een paar maffe tradities invoeren? Ik ken een gezin dat bij volle maan altijd als wolven gaat huilen. Een ander gezin heeft een grote tuin en doet op 8 augustus mee aan de 'zet stiekem een kalebas op het hek van buurman dag'. Simpele en lichtvoetige tradities hebben een goede uitwerking op de hechtheid van het gezin en bevorderen de zelf-waardering in je kinderen.

Telkens als tijdens onze zomervakantie een kind een goede daad verricht, zingt iedereen 'Huppel de kamer rond'. Ieder kind streeft ernaar te worden uitverkoren om de kamer rond te huppelen. Kampeerders worden voor hun goede gedrag beloond en daarop volgen altijd brede grijnzen.

▷ Kathy Baumann, directie, Kamp Ma-he-tu

'Speciale-Week'-kalender

Geef je kinderen iedere maand een 7-dagen-
agenda met activiteiten voor iedere dag van de
speciale week. Op maandag zou je door het
park kunnen gaan fietsen, dinsdag een han-
denarbeiddag inlassen, woensdag een legpuz-
zel. De activiteiten hoeven niet veel tijd of
geld kosten. Je kinderen zijn al lang blij met
je onverdeelde aandacht in deze speciale
week.

*Zo'n vijftien minuten voordat ik ga eten con-
troleren mijn kinderen en ik de 'Kleine-activi-
teiten-agenda'. Met mijn meisjes doe ik om
beurten iets leuks dat ik van te voren bedenk.
Meestal neemt het helemaal niet veel tijd in
beslag. Het is gemakkelijk om naar de kalen-
der te kijken en meteen te weten 'Mam en
Gabby knuffels opnieuw ordenen'. De agenda
neemt de druk weg dat je dingen om te doen
moet verzinnen.*

▷ Moeder en grafisch ontwerpster

speciale tijd samen

Laat je kinderen zien dat je ervan geniet om met hen te spelen. Voeg er, zo gauw er maar even wat tijd is, weer een paar minuten aan toe en intussen berg je gewoon de boodschappen op of doe je een of andere klusje.

Ieder jaar brengen mijn kinderen 'speciale tijd' met me door tijdens het winkelen voor weer-naar-school kleren. Zij krijgen hun eigen geld en een belangrijke stem in wat ze kopen. We hebben heel leuke gesprekken en genieten van elkaars onverdeelde aandacht. We lunchen dan ook altijd samen in hun favoriete restaurant.

▷ Darlene VanderYacht, onderwijsassistent

Vrijwilligerswerk in gezinsverband

Zoek manieren om als gezin vrijwilligerswerk te doen. Met name sportverenigingen hebben vaak hulp nodig en er zijn ook vaak mensen nodig voor het uitlaten van honden. Je kinderen leren belangrijke lessen door het helpen van anderen terwijl de ondersteunende feedback hun zelfvertrouwen ook nog eens ten goede komt.

Met vier kinderen is het soms moeilijk om als gezin vrijwilligerswerk te doen. Mijn 9-jarige kwam met het idee 'snoepzakken' te maken voor arme kinderen. Eens in de maand zet ik tien papieren zakken op tafel. De jongsten versierden ze met kleurpotloden en glitter. De oudsten vulden de zakken met sapjes, mueslirepen, trekkauwgum en een speelgoedje. Dan leveren we als gezin de zakken bij een centrum voor daklozen af.

▷ Leslie Johnson, moeder van vier

individuele aandacht

Een van de effectiefste manieren om je kinderen zich speciaal te laten voelen is hun je onverdeelde aandacht te geven. Zeg zelfs als je haast hebt, zoiets als: 'Ik ga hier zitten en dan ga jij mij over het fort dat je hebt gebouwd vertellen, omdat ik er alles over wil horen. Daarna moet ik me weer met het eten bezighouden.'

Ik heb een leegte in mijn stiefdochters leven weggenomen door haar toe te staan te praten over onderwerpen waarover ze niet zo gemakkelijk met haar ouders praat. Ik geef haar de vrijheid om me alles wat ze maar wil te vragen. Ik mag haar dan op mijn beurt belangrijke vragen stellen. Ze voelt zich hierdoor op haar gemak en volwassen.

▷ Kimberly Raymer, auteur

Reisplezier

Laat bij lange autoritten een kind voorin zitten en een ouder achterin. Als er maar één volwassene in de auto zit, wissel dan af zodat ieder kind dezelfde tijd voorin zit. Door de kinderen apart te zetten krijg je minder gesteggel. Plus dat ouders individueel met de kinderen kunnen praten. De hele sfeer verandert. Let wel op als er een air-bag-beveiliging in uw auto zit. Daarvoor moet het kind dat voorin zit oud genoeg zijn.

Uit gewoonte is het mijn man die bij lange autoritten achter het stuur zit. Vorig jaar suggereerde ik een verandering. Ik was het achterbankgekibbel zat en daarom stelde ik voor dat hij achterin ging zitten en ik zou rijden. Hij speelde met alle plezier alfabet-bingo met onze 8-jarige terwijl ik met mijn tienerdochter voorin zat. Wij tweeën genoten met volle teugen van ons ongestoorde gesprek. Zij praatte de hele reis.

▷ Thuismoeder

Gezinsoutfit

Tieners vinden het misschien bespottelijk, maar kleine kinderen vinden het heerlijk zich als vadertje en moedertje te verkleden. Een gezin beschilderde effen T-shirts en droeg die bij een familiereünie. Als je oudere kinderen niet in het openbaar willen worden aangezien voor de zingende familie Von Trapp, maak of koop dan een gezins-T-shirt dat ook fungeert als pyjama.

Mijn man en drie zoons maakten vorig jaar een 'mannenreis'. Ik had hoeden gemaakt met voorop 'De Mannen van Thoma' gebor-duurd, waarop ze erg trots waren.

▷ Sandy Thoma, relatie- en gezinstherapeut

Blijf aanwezig
als je afwezig bent

Het op één na beste

Als je voor een paar dagen weggaat, neem dan een lief bericht op voor je kind en leg het bandje op zijn hoofdkussen. Beschrijf waar je bent en wat je doet, vertel hem een favoriet verhaaltje voor het naar bed gaan en stuur een speciale nachtzoen. Je kunt ook een liedje van jullie beiden zingen, bijvoorbeeld eentje dat hoort bij jullie bedtijdroutine.

Op een vreemde manier keken mijn kinderen in feite uit naar mijn zakenreis. Ze genoten van de bandjes die ik voor hen achterliet. Ik had zoiets gezegd als: 'Ruim, voordat je je ogen dichtdoet, nog even je sokkenla op'. Ze vonden daar dan een prulletje of een bonnetje voor een ijsje.

▷ Reizende vader in Boston

Vakantiecadeautjes

Als je zonder je kinderen op vakantie bent, gebruik dan post of e-mail om contact te houden. Stuur speciale oorbelletjes, een zakje snoep of confetti. Het verzenden van lichte spulletjes kost heel weinig en zijn erg geschikt om kinderen het gevoel te geven dat ze bijzonder zijn. Sommige ouders sturen cadeautjes op het moment dat ze de stad uitgaan om zeker te zijn dat ze op tijd aankomen.

Iedere lente zend ik een paasmandje, goed ingepakt in nopjesverpakkingsmateriaal, naar mijn kinderen op kostschool. Ik gebruik bijna alles als excuus om hun iets bijzonders te sturen om hen eraan te herinneren hoe belangrijk ze zijn voor ons gezin.

▷ Stephanie Siemens, campinghoudster en schrijfster

Kampeerconnecties

Zoek naar manieren om met je kinderen in contact te blijven als ze op kamp zijn of een week bij oma logeren. Stop briefjes in hun zakken of pak nieuwe pyjama's voor hen in om de eerste nacht dat ze van huis zijn te dragen. Eén moeder plakte een maffe foto van haarzelf aan de binnenkant van de koffer van haar zoon (hij verwijderde de foto meteen om niet voor schut gezet te worden).

Als mijn dochters zich voorbereiden om met de meisjesscouting op kamp te gaan, doen we het inpakken van de spullen die mee moeten, samen. Alledaagse kleren worden verpakt in aparte ritszakken met daarin tevens een lief en aanmoedigend briefje.

▷ Donna Winders, assistent-producent

Stuur videotapes naar familieleden

Houd contact met verwegwonende familieleden met behulp van videobanden van de energieke capriolen van je kinderen. Neem dagelijkse dingen op zoals pianospelen en trampolinespringen. Grootouders zijn gek op het kijken naar deze roerende documentaires, en je kinderen genieten van in het centrum van de belangstelling staan.

Mijn kinderen hadden nog nooit de kinderen van mijn zus gezien en wij wilden onze neefjes in de gelegenheid stellen tot een eerste kennismaking voordat we elkaar op een komende reünie zouden ontmoeten. Dus maakten mijn zus en ik beiden een video van onze kinderen terwijl ze met hun dagelijkse dingen bezig waren zoals in de tuin spelen, worstelen en tanden borstelen. De kinderen vonden het heerlijk om naar hun neefjes te kijken. En wat het belangrijkste was, de kinderen hadden het gevoel al vriendjes te zijn toen ze elkaar uiteindelijk zagen.

▷ Lerares en moeder van drie kinderen

Fax een bericht of een plaatje

Als je buiten de stad bent en thuis een fax hebt, maak dan een tekeningetje of schrijf een lief briefje en fax het naar je kinderen. Sommige ouders faxen berichten naar hun kinderen op school. Je kinderen zullen het heerlijk vinden om een briefje te krijgen met daarop 'Jason, succes met je geschiedenistest. Ik hou van je, pap'.

Toen Sondra vier was, maakte ze een eenvoudige lieve tekening van een hond. We besloten om deze naar oma te faxen. Tot onze verrassing zond oma de tekening terug nadat ze er wat bloemetjes en een kat bij had getekend. Sondra tekende er vervolgens weer een hondenhok bij en faxte de tekening opnieuw naar oma. De tekening werd groter en groter. Godzijdank was het tegen lokaal tarief.

▷ Silvana, moeder van twee meisjes

Familienieuwsbrief

Help je kinderen met familieleden in contact te blijven door het uitbrengen van een familienieuwsbrief. Je kunt er een van 2 A-4-velletjes maken maar ook een stuk van 20 pagina's compleet met kleurenfoto's. De nieuwsbrief helpt je kinderen op de hoogte te blijven van wat er in andere gezinnen gebeurt en het maakt dat je kinderen betrokken blijven bij allerlei verwanten die een heel eind weg wonen.

Onze familie brengt om de paar maanden een nieuwsbrief uit. Die heeft een eenvoudige vaste opzet. We nodigen familieleden uit verhalen te plaatsen die alle familieleden interesseren zoals dat Sarah haar eerste tandje heeft verloren, mam die meedoet aan de 10-km-loop, Fluffie die 3 jonge poesjes heeft gekregen etc. We bewaren de kopieën hiervan in ordners en iedereen bladert met plezier door de behandelde onderwerpen.

▷ Landschapsarchitecte en moeder van twee kinderen

Familiekookboek

Een prachtige manier om familiebanden hechter te maken en de zelfwaardering van kinderen te voeden is het samenstellen van een familiereceptenboek. Laat alle familieleden, ook verwegwonende, hun favoriete recepten inleveren. Vraag hun er ook een leuk verhaaltje bij te schrijven. Kopieer en bind de boeken op eenvoudige wijze of laat je uit de brand helpen door een copyshop. Je kinderen zullen het heerlijk vinden om voor de illustraties te zorgen.

Wij nodigden onze uitgebreide familie uit om recepten te leveren voor een familiekookboek. Het was heel leuk om over 'De zonder meer zalige roereieren van Alison' te lezen. De familie werd door dit boek hechter, ook al woonden de meesten ver van elkaar. De kinderen waren trots auteur genoemd te worden.

▷ Moeder en kookboekenmaakster

Kamppost

Kinderen geeft het een kick op kamp post te krijgen. Maar wee, de kampeerder die een geparfumeerde envelop met een lipstickafdruk ontvangt. Doe twee, drie dagen voordat je vertrekt, de eerste brief voor je kinderen op de bus. Op die manier krijgen ze op de eerste dag post.

Toen onze dochter op kamp was, zond mijn man verscheidene kaarten met eigenaardige boodschappen en valse handtekeningen. Natuurlijk werden deze brieven door het hele kamp gebazuind. Onze dochter deed alsof ze zich geneerde, maar we wisten dat ze het prachtig vond.

▷ Moeder en mondhygiëniste

Creatieve kaarten

Blijf in contact met je kinderen als je de stad uit bent door op een creatieve wijze gebruik te maken van kaarten. Laat je kinderen zien dat je vind dat ze bijzonder zijn door ze allemaal een eigen kaart te sturen. Dit is dan de truc: Je kinderen moeten de kaarten naast elkaar leggen om het complete bericht te kunnen lezen. Als je maar één kind hebt, stuur haar dan een aantal kaarten die naast elkaar moeten worden gelegd om de boodschap te lezen.

Ik heb een voorraadje altijd te gebruiken kaarten voor onverwachte zakenreisjes. Ik stuur er een naar mijn kinderen de dag voordat ik vertrek. Op die manier krijgen mijn kinderen een kaart op de dag dat ik ben vertrokken. Ze moeten het aan het stempel zien.

▷ Vader en adviseur

Laat je kinderen je bij het pakken helpen

Als je voor een paar dagen van huis gaat, laat de kinderen je dan helpen bij de voorbereidingen voor de reis. Vraag hun wat ze aanraden om als leesstof mee te nemen. Als je geluk hebt, stopt je jongste zelfgemaakte tekeningen in je koffer. Je kunt je kinderen de foto's die je van hen meeneemt, laten zien. Je kunt ook vertellen waar je de foto's in je hotelkamer neerzet zodra je aankomt.

Toen ik jonger was gingen mijn ouders op vrijdagavond af en toe met hun vrienden uit eten. Mijn moeder liet me haar outfit – jurk, schoenen, sieraden, alles – uitkiezen en ze droeg ook echt wat ik uitzocht.

▷ Kelly Redfield, studente

'ik mis je'

Zeg tegen je kinderen hoezeer je hen mist als je weg bent. Vertel hoe je je probeert voor te stellen wat zij doen als jij er niet bent.

Mijn vrouw en ik zijn soms op zakenreis. Voordat we vertrekken, herinneren we onze kinderen eraan dat de reden waarom we hen zo missen is dat we van hen houden. Onlangs was ik me gereed aan het maken voor weer zo'n reis en vertelde ik mijn 5-jarige hoe erg ik haar zou missen. Zij herinnerde me eraan dat het goed was, want dat als ik haar miste dat betekende dat ik echt van haar hield. Soms denk ik dat zij het beter door heeft dan ik.

▷ Robert MacPhee, trotse vader

Reisroosters

Maak reisroosters voor je kinderen ingaande het moment dat je voor een aantal dagen van huis bent. Geef je kinderen een afdruk van je hele reisschema inclusief telefoonnummers van je hotels. Leg ze uit wat je tijdens de reis gaat doen. Kinderen denken vaak dat je op vakantie gaat en beseffen niet dat je moet werken. Reisroosters helpen je kinderen met je in contact te blijven op momenten dat je hectische leven je op reis stuurt.

Als ik de stad uit ben, bel ik iedere ochtend mijn kinderen op. Soms moet ik vroeg op als ik in een andere tijdzone zit, maar de dag begint voor mij pas echt als ik contact heb gehad met mijn gezin.

▷ Vader en computerconsulent

Geef het ultieme cadeau: je tijd

Als je vaak reist, probeer dan de 'ik zal wat speelgoed voor je meenemen'-routine te vermijden. Je kinderen gaan dan meer uitzien naar hun cadeautjes dan naar je terugkomst. Beloof in plaats daarvan om als je terug bent met hen te gaan basketballen of fietsen. Jouw tijd is het meest kostbare dat je hun kunt geven.

Als mijn vrouw voor lezingen van huis moest, zochten Sondra en ik zorgvuldig de outfit bijelkaar om haar op het vliegveld te gaan ophalen. We kleedden ons als Dorothy en de Scarecrow, Peter Pan en Captain Hook, en zelfs Christine en het Spook van de Opera. We deden dit twee jaar lang totdat onze verkleedideeën uitgeput waren.

▷ Allan, vader van twee meisjes

Leg je stamboom uit

Leg je kinderen uit waar zij staan in hun uitgebreide familie. Als er niet vaak reünies zijn, moedig je kinderen dan aan om e-mail of gewone brieven te schrijven om in contact te blijven met hun familie. Kinderen ontwikkelen een speciaal gevoel van veiligheid als ze weten dat er neven, tantes, ooms en grootouders zijn die van hen houden en om hen geven.

Ik heb voor mijn kinderen een boek met foto's van onze familie gemaakt. We bewaarden het boek bij het telefoontoestel, zodat we als er een neef belde, meteen de pagina met zijn gezicht konden openslaan. Zo konden de kinderen zich voor de geest halen met wie ze praatten waardoor ze ook een hechtere band kregen met ver weg wonende familieleden.

▷ Kunstenares en moeder van drie kinderen

speciale 'Welkom-Thuis'-groeten

Zorg voor een speciale begroeting voor gezinsleden die langere tijd van huis zijn geweest. Bijvoorbeeld: als je kinderen thuiskomen van een week op kamp of van een logeerpartijtje bij oma, laat ze dan met een speciale gezinsgroet weten dat je blij bent hen weer te zien.

Bij ons thuis plaatsen we altijd een elektrische kaars in het raam bij de voordeur, als iemand een of meer dagen van huis is geweest. We houden de kaars 24 uur per dag 'brandende', zodat zelfs als iemand overdag arriveert, de kaars er is om hem te begroeten. Onze studerende dochter kwam een paar maanden geleden voor de zomervakantie naar huis en was teleurgesteld dat we hadden vergeten om voor haar de kaars aan te maken.

▷ Vader en technicus

Lunchbriefjes

Gebruik de lunchzakjes van je kinderen om lieve gevoelens door te geven. Schrijf berichtjes op hun servetten en stop verrassingsberichtjes bij hun lunch. Een moeder gebruikte een pincet om de gelukspapiertjes van gelukskoekjes af te halen en die met heel veel gepriegel vervolgens op de papiertjes met persoonlijke gelukwensen voor haar kinderen te plakten. (Okay, een beetje extreem.)

Een deel van mijn verantwoordelijkheid als ouder thuis omvat het inpakken van de lunchtrommels van onze kinderen. Ik stop er altijd 'Paps speciale surprise' in. Dat kan iets van snoep zijn, een nieuwe gum of wat me maar te binnen schiet. De kinderen kijken uit naar de surprises en laten ze aan hun vrienden en onderwijzers zien.

▷ Rich Garbinsky, campinghouder

Toon je liefde
in woord en daad

Geboortebrief

Schrijf kort na haar geboorte een brief aan je kind waarin je beschrijft wat voor impact ze op jullie gezin had. Deel je gevoelens over de wonderen van de zwangerschap, beschrijf hoe je de kinderkamer versierde, vertel het bevallingsverhaal (misschien vertel je de angstige details liever niet), beschrijf hoe haar broers en zusjes zich voorbereidden op de nieuwe baby, etc. etc. Geef je kind deze brief rond haar tiende verjaardag, tegen die tijd is ze beter in staat de krachtige emoties te begrijpen die jij voelde.

Ook al was ik volkomen uitgeput, ik schreef de dag na zijn geboorte een brief aan mijn zoon. Ik wist dat hij er misschien totdat hij zelf kinderen zou krijgen, geen waardering voor zou kunnen opbrengen, maar ik wilde hem betrekken in het overweldigende gevoel van liefde dat ik vanaf het moment van zijn geboorte voor hem had.

▷ Moeder en verpleegkundige

Teken een stamboom

Leer je kinderen hun voorgeschiedenis kennen door samen een stamboom te maken. Je kunt hiervoor eenvoudige lijntekeningen met namen of foto's en beknopte beschrijvingen gebruiken. Zelfs als je er maar twee, drie generaties in verwerkt, geeft de stamboom het gevoel ergens bij te horen. De boom zal hen ook aan familieleden herinneren buiten hun directe omgeving.

Onze eerste zoon, Christopher, werd 'grote broer' na de geboorte van onze tweede zoon, Michael. Chris had het een poos moeilijk met de veranderingen. Soms schreeuwde hij: 'Ik ben niemand.' Wij herinnerden hem dan aan zijn neven in Texas, zijn ooms in Fresno en San Francisco en de rest van zijn uitgebreide familie. Chris besefte uiteindelijk dat hij nog steeds Christopher was – onze zoon die een grote familie om zich heen had om aan zijn kleine broertje voor te stellen.

▷ Steve Shively, congrescentrumdirecteur

schoolpost

Probeer een brief aan je kind te schrijven en naar hem op school te zenden. Breng je voor de geest hoe opwindend jij het vond toen de conciërge de klas binnenliep en de leraar een brief voor iemand overhandigde. Het vertrek was overladen met gespannen ogen die zich afvroegen wie de gelukkige ontvanger zou zijn. Dit moet je echter niet doen, als je kind extreem verlegen is. In alle andere gevallen zal hij heel blij zijn verrast te worden met een onverwachte brief van je op school.

Ik stuur mijn kinderen altijd verjaardags-kaarten naar hun school. Het is een echte kick voor hen om van de conciërges een uit-bundig gekleurde kaart te krijgen. De kaarten maakten zo veel meer indruk dan als ik ze hun had overhandigd bij hun cadeautjes.

▷ Vader van twee pre-tieners

Persoonlijke poster

Geef je kinderen een groot stuk gekleurd pos-
terkarton zodat ze hun persoonlijke posters
kunnen maken. Zorg voor tijdschriften en foto's om hen te helpen een collage te maken
van de activiteiten die ze leuk vinden. Moedig
je kinderen aan ruimte vrij te laten voor weer
andere platen als ze nieuwe interesses ontwikkelen.

*Ik heb twee prachtige dochters van zes en ze-
ven. Ze hebben naast hun bed prikborden
hangen waarop ze tekeningen bevestigen of
plaatjes van dingen waarin ze goed zijn of
goed willen worden. We noemen de borden 'Ik
ben super goed'.*

▷ Hank DeFelice, persvoorlichter

Geheim maatje

Presenteer je aan je kinderen als een 'geheim maatje'. Verstop kleine cadeautjes in hun kamers of stop geheime berichtjes in hun gymtas. Op den duur komen je kinderen erachter dat de briefjes van jou zijn, maar ze blijven van deze vorm van aandacht genieten. Denk ook eens aan lootjes trekken binnen het gezin en laat dan iedereen voor de getrokken persoon iets leuks doen.

Toen mijn kinderen klein waren, bewonderde ik hen in stilte door ze kaarten ondertekend met 'Geheim maatje' te sturen. Ik onthulde mijn identiteit alleen als het absoluut noodzakelijk was. Als ik de kaarten op de bus deed, schreef ik een andere afzender op de envelop om mijn identiteit verborgen te houden. Ze genoten van deze speciale aandacht.

▷ Rhona Lennon, medisch receptioniste en Tupperwaremanager

Verjaardagskrant

Het is nooit te laat om te beginnen met het bewaren van de kranten van de verjaardagen van je kinderen. Ze zullen genieten van het terugkijken en lezen over wat er gebeurde in de wereld op hun speciale dag.

Mijn schoonmoeder gaf me een exemplaar van de krant van de dag waarop mijn dochter was geboren. Ik genoot zo van het lezen van deze krant dat ik de kranten van de verjaardagen van mijn dochter de daarop volgende negen jaar spaarde. Zelfs nu vindt ze het leuk om naar de advertenties van jaren geleden te kijken en te zien hoe de mode is veranderd. Ik had het veel drukker met mijn zoon en dus mist hij een paar jaar.

▷ Moeder en schrijfster

Bespreek beroemde citaten met je kinderen

Zorg ervoor dat je kinderen met een brede schakering aan ideeën in aanraking komen door citaten uit verschillende culturen en historische perioden te lezen. Vraag je kinderen wat zij denken dat deze citaten betekenen.

Ik ben gek op citaten. Ik had vaak een heel vel vol voor aan tafel. Ik las er dan één voor en vroeg mijn kinderen naar het jaar, de auteur, belangrijke gebeurtenissen van die tijd en hoe de betekenis nu op onze levens van toepassing zou kunnen zijn. Wij introduceerden onze kinderen in het grote gesprek van de mensheid. Een van hun favoriete citaten stamde van de leraar van Confucius, Lao Tze: 'Dingen zien in de zaadkorrel – dat is geniaal'.

▷ Dottie Walters, persvoorlichter en directeur van het Walters International Speakers Bureau

Screensaver

Gebruik de screensaver van je computer om stimulerende woorden en beelden aan je kinderen over te brengen. Zet er foto's van je kinderen op of schrijf een lief bericht op de scrolling screensaver. Als je niet weet hoe je dit moet doen, vraag dan je kinderen het voor te doen – ze zullen het fantastisch vinden de gelegenheid te hebben om te laten zien wat ze allemaal met de computer kunnen.

Ik gebruik de scrolling message screensaver op onze computer om naar mijn zoon speciale berichtjes te zenden zoals 'Prachtige cijferlijst!', 'Hartelijk gefeliciteerd met je verjaardag', 'Top-voetballer!', 'Ik houd van je' etc. Hij is nieuwsgierig naar de nieuwe berichten als ik ze verander.

▷ Marie Meador, directeur

Persoonlijk aantekenboekje

Voorzie elk van je kinderen van een aanteken-
boekje waarin ze aantekeningen en tekeningen kunnen maken over alledaagse gebeurtenissen. Als je kinderen groot zijn genieten ze
van het terugkijken en kunnen ze zien hoe
hun handschrift verbeterd is. Sommige gezinnen maken van dagboeken een onderdeel van
het bedtijdritueel.

*Als mijn man als beroepsvisser naar Alaska is,
blijft ons contact beperkt tot krakerige tele-
foongesprekken. Daarom houden de kinderen
en ik iedere dag weer een dagboek bij van onze zomeractiviteiten. Als mijn man weer
thuiskomt, prikken we een datum en leest iedereen voor wat er op die dag gebeurde. De
dagboeken helpen ons als gezin verbonden
met elkaar te blijven. We beleven de zomerbe-
levenissen opnieuw en laten mijn man zien
hoeveel we aan hem dachten toen hij weg
was.*

▷ Moeder van drie kinderen

Berichten op geroosterd brood

Zend funberichtjes naar je kinderen en gebruik geroosterd brood als briefpapier. Doe een eetlepel koffiemelk in drie verschillende bekers. Doe daarbij een paar druppels eetbare kleurstof en roer die er dan goed doorheen (kies voor elke beker een andere kleur). Gebruik een schone tandenborstel om op het brood een tekening te maken of een kort bericht te schrijven. Doe het brood in de broodrooster en kijk hoe de gezichten van je kinderen stralen als ze de tekening zien.

Het is lastig om mijn kinderen op maandagochtend in de mistroostige wintermaanden voor school te motiveren. Als tegengif voor de winterblues hebben we als traditie dat ik iedere maandag op hun geroosterd brood een berichtje schrijf en het in grappige vormen uitsnijdt met koekvormpjes.

▷ Moeder en bibliothecaresse

Leer je kinderen brieven schrijven

Het gemak van e-mail valt moeilijk te ontkennen, maar maak je kinderen ook met het schrijven van brieven bekend als een methode om met verre familieleden in contact te blijven. Begin met je kinderen een brief te laten schrijven aan je ouders omdat die meestal snel en enthousiast reageren. Je kinderen zullen opgewonden naar de brievenbus rennen om te kijken of er geen aan hen geadresseerde brieven zijn.

Mijn kinderen zijn gek op post. Om de zoveel tijd gaan ze zitten en maken een paar tekeningen op blanco briefkaarten en sturen die vervolgens aan vrienden en familie. Na een week of zo ontvangen mijn 5- en 7-jarige aan hen persoonlijk gerichte post.

▷ Elizabeth Donnenwirth, illustratrice

Maak samen huiswerk

In plaats van je kinderen naar hun kamer te sturen om huiswerk te maken, kun je ze ook bij je aan de keukentafel of in de woonkamer uitnodigen (zorg ervoor dat de tv niet aanstaat). Je kunt het huishoudboekje bijwerken of rustig wat lezen terwijl zij bezig zijn met wiskunde of maatschappijleer. Ze zien je dan bezig met je eigen huiswerkprojecten en weten je in de buurt voor het geval ze een beetje hulp nodig hebben.

Mijn twee kinderen zitten aan de eettafel hun huiswerk te maken. Mijn man en ik zitten gewoonlijk naast hen te lezen. Na een kwartiertje gaan we wat anders doen maar dan zijn zij zo bezig dat ze helemaal in hun huiswerk opgaan.

▷ Moeder met eigen bedrijf

Laat kinderen hun eigen boeken schrijven

Kinderen, met name beginnende of aarzelende lezers, genieten ervan boeken over zichzelf te lezen. Moedig je kinderen aan tot het schrijven van verhalen over hun eigen leven. Laat ze een paar van hun foto's zien en maak een begin met een verhaal hierover. Schrijf hun vervolgverhaal hierbij op of neem het op om het later op te schrijven. Gebruik de foto's als illustraties. Je kinderen zullen trots zijn op het zelf geschreven boek.

Eens per jaar kies ik een speciale dag om foto's te maken van mijn zoon. Ik fotografeer hem terwijl hij met de hond aan het spelen is, zijn tanden poetst, fietst, etc. We gebruiken de foto's voor een boek met als titel 'Jordans Drukke Dag'. We hebben nu zes 'Drukke Dag'-boeken. Het is een plezier om terug te kijken en te zien hoe zijn dagelijkse bezigheden door de jaren heen veranderden.

▷ Moeder en lerares

Gezinsprikbord

Help je kinderen bij het maken van een prikbord met 'gezinswaarderingen'. Koop een prikbord of maak een stuk van de koelkastdeur vrij voor de gezinsleden. Ouders zullen waarschijnlijk de meeste briefjes schrijven, maar verbaas je niet als je zo af en toe een berichtje van een kind aan een ander kind vindt. Stel als regel dat de berichtjes positief moeten zijn. De complimentjes en de aandacht die je kinderen zo krijgen zullen hun zelfwaardering verder doen groeien.

Ik kocht een rood prikbord en hing het in de woonkamer. Mijn man en ik begonnen met het schrijven van briefjes als 'Kijk eens naar het vogelkooitje. Melissa heeft het helemaal schoongemaakt en bijgevuld'. Onze kinderen vinden de openlijke waardering voor hun inspanningen heerlijk.

▷ Mam en pianolerares

Draagbare kunst

Dit is een prachtige manier om de tekeningen en briefjes van je kinderen te bewaren en naar buiten te brengen. Zoek de mooiste dingen bijelkaar, ga ermee naar een printshop en laat ze daar overzetten op fototransferpapier. Je kunt zo je eigen T-shirts of truien maken door het transferpapier op lichtgekleurde stoffen te strijken. Je kinderen zullen het heerlijk vinden om je met hun kunstwerken op je shirt te zien.

Ik liep een dezer dagen de tekeningen van mijn kinderen door en haalde er mijn favoriete tekeningen en schilderingen uit en gebruikte ze vervolgens om unieke shirts voor mijn twee oudste kinderen te maken.

▷ Michael Handy, schoolbuschauffeur

Leg de ontwikkelingen van je kind vast

Houd een verslag bij van de ontwikkelingen van je kind in het leren van nieuwe vaardigheden. Als ze ouder zijn, zien ze hoe ze voor het eerst blokletters of voor het eerst aaneengesloten woorden schreven. Vraag je kinderen ieder jaar een zelfportret te tekenen, zodat je hun artistieke ontwikkeling kunt vastleggen.

Wij fotografeerden onze dochters terwijl ze aan het koken waren en gebruikten de foto's als omslagen voor de persoonlijke kookboeken van de meisjes. Telkens als een van hen een nieuw recept leerde, voegden we het toe aan haar kookboek. Tegen de tijd dat de meisjes naar de universiteit gingen had elk van hen een indrukwekkende verzameling beproefde recepten. Het was leuk om te zien hoe de recepten geleidelijk ingewikkelder werden, van hun eerste roereieren tot decadente quiches.

▷ Laurie Keleman, oud-lerares

Creatieve lof

Wees vindingrijk in je manieren van lof toe-
zwaaien als je kinderen bepaalde resultaten
behalen. Kijk, in plaats van altijd weer stic-
kers of 'smily's' te geven, eens uit naar een afwijkende manier om de aandacht op hun resultaten te vestigen.

*Iedere zomer maken we één muur in onze
woning tot 'leesmuur'. Vorig jaar hebben we
een boom op de muur getekend en de jongens
schilderden vervolgens voor ieder boek dat ze
hadden gelezen een blaadje aan de boom. Deze zomer veranderden we de muur in een
blauwe hemel, waarin de kinderen vliegers,
vogels en vliegtuigen tekenen voor elk boek
dat ze uit hebben. In de zomer maak ik zo ongeveer om de twee weken foto's van de kinderen voor deze muur zodat, wanneer de zomer
voorbij is, ze zien kunnen wat ze hebben ge-
presteerd. Het zijn grote lezers geworden.*

▷ Kathy Moreno, thuismoeder van
drie kinderen

Kwaliteitenlijst

We maken overal lijstjes voor: boodschappen,
te lezen boeken, te verrichten klussen, etc.
Waarom dan ook niet een lijst van de prachtige eigenschappen die je kinderen iedere dag
weer vertonen? Laat je kinderen zo ongeveer
eens in de week de lijst bekijken of herinner
hen eraan hoe geweldig ze zijn.

*Wij hielpen onze zoon bij het opstellen van
een lijst van vijftig dingen van hemzelf waar-
mee hij blij was. We moedigden hem aan zich
niet zozeer op resultaten te concentreren
maar vooral op persoonlijke eigenschappen.
Door deze benadering leerde hij dat zijn eigenwaarde van binnen zat. Wij probeerden
hem iedere dag weer aan zijn prachtige eigenschappen te herinneren.*

▷ Ed Kania, accountant

Handtekeningen van beroemdheden

Probeer handtekeningen te bemachtigen van de favoriete sporthelden of beroemdheden van je kinderen. Veel kinderboekenschrijvers reageren positief op verzoeken om handtekeningen. Zoek het internet af voor adressen van beroemdheden en mogelijkheden om hun handtekeningen te bemachtigen. Voeg een aan jezelf geadresseerde en gefrankeerde envelop bij voor een snel antwoord.

Toen Trina tien was, wilde ze een rol in Annie *op Broadway. Ze liep in huis constant 'Tomorrow' te zingen. Ik schreef het meisje dat toentertijd in* Annie *op Broadway de rol van Annie speelde en zij stuurde Trina vervolgens twee persoonlijke kerstkaarten en een kort briefje. Die kaarten waren de topcadeaus van Trina's kerst dat jaar.*

▷ Silvana, moeder van twee meisjes

Verspreid het nieuws van je kinderen

Vertel je vrienden en familie over de indrukwekkende academische resultaten en artistieke meesterwerken van je kinderen. Wikkel het verjaardagscadeau van oma in het vingerverfkunstwerk van je peuter. Maak kaarten waarvoor je de waterverfschilderijen van je kinderen gebruikt of schrijf brieven aan familie op de achterkant van het velletje waarop je kinderen de spellingstest maakten.Iedereen vindt zo'n persoonlijke attentie leuk en kinderen al zeker.

Mijn 8-jarige dochter Alison is gek op schrijven. Een poosje geleden heb ik een paar van haar favoriete stukken verzameld en die aan verweg wonende familieleden gezonden. Ze kreeg heel veel waarderende reacties van haar grootouders, tantes en ooms.

▷ Nancy Keene, schrijfster

Tastbare stimuli

Kinderen hebben vaak concrete aanmoediging nodig in de zin dat ze erop moeten worden gewezen wat ze al allemaal hebben bereikt om uiteindelijk bij het gestelde doel te komen. Experimenteer om te achterhalen welk prikkelprogramma voor jouw kinderen het beste werkt.

Ieder kind in ons gezin had een kaart met vijftig voetstappen. Telkens als we iets prijzenswaardigs deden mochten we van onze ouders een voetstap afvinken. Als een kind de 50ste voetstap bereikte, mocht het bepalen wat de eerstkomende gezinsactiviteit in zou houden. We kozen meestal voor een film, bowlen of minigolf. Je voelde je echt heel bijzonder als je de gezinsactiviteit mocht bepalen.

▷ Staci Schuerman, studente

Kindercontracten

Voor belangrijke zaken zoals toestemming voor het een of ander, kun je met je kinderen eventueel een contract opstellen. Als ze geld willen verdienen om op kamp te gaan, maak dan en lijst van klussen die ze voor je kunnen opknappen en het bedrag dat ze ervoor krijgen. Neem hierin prikkelprogramma's op om extra cash of voorrechten te verdienen. Duidelijke richtlijnen maken dat de kinderen een helder idee krijgen van wat van hen wordt verwacht.

Mijn dochter wou verhoging van zakgeld, daarom zorgden wij voor een proefperiode van vier weken waarin ze extra klusjes kon doen en daarmee extra geld kon verdienen. Het contract benoemde haar normale plichten, de gevolgen van het achterwege laten van deze plichten, extra klusjes en het bedrag dat ze zou verdienen. Het pakte goed uit en bespaarde me tegelijkertijd allerlei gezeur om dingen gedaan te krijgen.

▷ Moeder en administratief-assistente

E-mail je kinderen

Blijf in contact met je kinderen door van e-mail gebruik te maken. Als je toegang tot computers en internet hebt, is het ongelooflijk eenvoudig en leuk. Sommige scholen staan kinderen een eigen e-mailadres toe. Stuur gewoon de groeten of gebruik een van de vele kaarten die gratis verkrijgbaar zijn op internet. Zelfs aarzelende briefschrijvers vinden e-mailen vaak leuk.

Ik stuur mijn dochter op school e-mail. Het is een prachtige manier om 'Hi' te zeggen en kinderen te laten weten dat je aan hen denkt. Ik vind vooral antwoord krijgen erg leuk!

▷ Teri Bodensteiner, verpleegkundige

schrijf briefjes aan je kinderen

Het schrijven van berichtjes en brieven aan je kinderen is een prachtige manier om je liefde over te brengen. Je kinderen kunnen de boodschappen net zo vaak herlezen als ze willen. Het kan zelfs zijn dat je erachter komt dat ze je briefjes in een la bewaren en er regelmatig uithalen om ze weer te bekijken. Brieven zijn nog steeds een heel mooie manier om te zeggen: 'Ik houd van je'.

Toen ik weer fulltime ging werken, nam ik de gewoonte aan mijn jongens drie keer per week speciale berichtjes via hun lunchzakjes te zenden. Mijn oudste is dertien en hij vindt ze prachtig, ook al leest hij ze zijn vrienden niet voor. Ik ben er echter wel achter gekomen dat zijn vrienden hun moeders vroegen ook briefjes te schrijven.

▷ Barbara Davidson,
recreatie-toezichthoudster

Koppel uitdaging
aan moed

Zorg voor concrete leerstrategieën

Vergemakkelijk het leren voor je kind door het praktische tips te geven als het moeite heeft met het zich eigen maken van nieuwe vaardigheden. Je kunt bijvoorbeeld zeggen: 'Zo veel tekst voor het toneelstuk uit het hoofd leren vraagt echt tijd'. Wil je dat ik je na het eten overhoor? Soms gaat het gemakkelijker als een ander de belangrijkste regels uitspreekt.' Kinderen voelen zich vaak overdonderd door nieuwe en ingewikkelde taken, help ze dus door ze doeltreffende manieren om te leren bij te brengen.

Mijn zoontje raakte gefrustreerd bij de zindelijkheidstraining. Op een gegeven moment frommelde ik een bal toiletpapier in elkaar, gooide die in de wc-pot en zei tegen hem: 'Richten en raken.' Het werkte!

▷ Marilyn Lampman, buschauffeuse

Leer kinderen om buiten vaste kaders te denken

Leer je kinderen creatieve manieren van denken om problemen op te lossen of beslissingen te nemen. Moedig ze aan tot het zoeken van alternatieve manieren om uitdagende situaties aan te pakken.

Toen mijn kinderen klein waren, stuurde ik ze op creatieve rommeljacht voor zaken als 'muisstoelen' of 'aardmannetjeshoeden'. Ze zochten op geniale wijze naar objecten die van dienst konden zijn voor het maken van het gevraagde ding. Foute antwoorden waren niet mogelijk en het spel was dan ook altijd een pepmiddel voor hun gevoel van eigenwaarde en het hielp hen om op creatieve wijze problemen op te lossen.

▷ Marjorie Crum, grafisch ontwerpster

Een helpende hand

Soms is voor kinderen een heel klein beetje goed getimede hulp al voldoende om te maken dat ze volhouden tot het hun lukt. Kies zorgvuldig het moment en de mate van ingrijpen afhankelijk van de persoonlijke eigenschappen van je kinderen. Geef hun voldoende ruimte om hun problemen uit te werken en bemoei je er alleen maar mee als het echt nodig is.

Mijn 3- en 5-jarige stonden uren in hun limonadekraampje en verdienden alleen maar vijftien cent. Ik gaf toen een paar oudere kinderen van de buren geld om limonade bij hen te kopen en ze een fooi te geven. De oudere kinderen vonden zichzelf heel cool *en mijn kinderen waren helemaal opgewonden over het verdiende geld.*

▷ Directeur basisschool

Zet aan tot probleemoplossing

Leer je kinderen limonade maken van citroenen. Onderzoek toont aan dat mensen die actief oplossingen voor problemen zoeken meestal optimistisch van aard zijn. Als je kinderen met onplezierige situaties worden geconfronteerd, laat ze dan zien dat klagen niet nodig is omdat men deze situaties kan gebruiken om resultaten te behalen in de vorm van problemen oplossen.

Verscheidene jaren geleden zijn wij naar Oregon verhuisd om een nieuwe zaak te beginnen. Onze dochter Carrie moest er naar een nieuwe school. In die tijd konden wij ons niet de mooie lunchdozen permitteren die de andere schoolkinderen hadden, dus tekende ik in plaats daarvan kleurrijke cartoons op haar lunchzakje. Het duurde niet lang of haar klasgenoten wilden dat ik ook op hun lunchzakje tekende. Het nieuwe meisje werd meteen geaccepteerd.

▷ Trish Henifin, schoolbuschauffeur

Rolmodel gezonde zelfwaardering

Toon gedrag waaruit je eigen gezonde gevoel voor eigenwaarde blijkt. Volg nieuwe cursussen, praat over boeken die je leest, vertel je kinderen hoe je een lastige situatie met een vriend aanpakt, etc. Breng je preken in praktijk en je lessen zullen meer impact bij je kinderen hebben.

Ik herinner mezelf vaak eraan dat zelfwaardering en overdreven zelfwaardering niet een en hetzelfde is. Ik moet hoge zelfwaardering hebben om mijn kinderen te helpen hun eigen zelfwaardering op te bouwen. Ik doe dus voortdurend dingen die mijn zelfwaardering ten goede komen. Het is besmettelijk.

▷ Tom Lagana, boekenschrijver

Luister eerst

Als je kinderen zich misdragen of ongehoorzaam zijn, geef hun dan eerst de kans om de zaak uit te leggen. Luister aandachtig naar wat ze zeggen en gebruik de situatie als een leerervaring. Je hebt dan ook meteen de gelegenheid om je te bezinnen en je emoties onder controle te houden. Onthoud, het woord 'discipline' betekent 'onderrichten'. Het is ons werk als ouders om onze kinderen op een liefhebbende manier te leren hoe ze van hun fouten kunnen leren.

In mijn persoonlijke en beroepsleven heb ik geleerd dat kinderen iemand nodig hebben die naar hun kant van het verhaal wil luisteren en die beseft dat het tegenwoordig moeilijk is om volwassen te worden.

▷ Terese Huggins, ouder, onderwijzer en therapeut

Vermijd haast

Probeer een hele dag door te komen zonder tegen je kinderen 'schiet op' te zeggen. Leer hen hun tijd in te delen en de gevolgen te accepteren van te laat komen. Tijdmanagement is een waardevolle vaardigheid die men soms het beste op de harde manier leert.

Ik stelde de gewoonte in dat mijn dochter de avond tevoren haar kleren voor school uitzocht en de rugzak inpakte. 's Ochtends gaf ik haar alleen een vijf-minuten-waarschuwing zodat ze wist dat ze nog vijf minuten had voordat ik zou vertrekken. Als het zover was, liep ik naar de auto, stapte in en begon een boek te lezen. Op een dag was ze te laat. Het was haar verantwoordelijkheid om aan het schoolhoofd uit te leggen waarom ze te laat was. Ze pakte dit goed op en houdt nu op zeer deskundige wijze haar tijd in het oog.

▷ Moeder en textielontwerpster

Leer effectieve aanpakken

Leer je kinderen strategieën om situaties die ze lastig vinden aan te pakken. Als andere kinderen hen in de bus plagen, laat ze dan verschillende manieren van ermee omgaan uitproberen. Laat je kinderen bijvoorbeeld zinnen van buiten leren die ze in lastige situaties kunnen gebruiken. Dit geeft ze vertrouwen in lastige situaties.

Mijn zoon was bij familiebijeenkomsten vaak het mikpunt van een ouder neefje. We deden een paar rollenspellen waarbij mijn zoon een paar zinnen leerde die hij kon gebruiken als zijn neef hem zou plagen. Het kerstfeest daarop begon het getreiter weer. Mijn zoon legde direct oogcontact en gebruikte een van de ingestudeerde zinnen. Zijn neef was zo perplex over dit krachtige antwoord dat hij meteen afdroop.

▷ Verpleegkundige en moeder van een tweeling

Breng financiële verantwoordelijkheid bij

Als je denkt dat je kinderen er oud genoeg voor zijn, breng ze dan op de hoogte van de financiële situatie van het gezin. Laat hun zien wat de kosten zijn van elektriciteit, telefoon, kabel, reinigingsdienst en huur of hypotheek. Laat hen zo veel mogelijk met budgetten experimenteren. Laat hen bijvoorbeeld een ingekort boodschappenlijstje maken en geef hen daarvoor een bepaald bedrag dat niet mag worden overschreden.

Toen ons gezin op vakantie ging, gaven we elk kind als daggeld 150 dollar. In het begin dachten ze dat het een fortuin was, maar ze waren er vlug achter hoe snel hotel, eten, souvenirs en snacks dit geld opslokten. Ze werden echter algauw meer prijsbewust en hielden een kasboek bij van al onze uitgaven.

▷ Schraperige ouders

Respecteer de reacties van kinderen op de dood

Respecteer de gevoelens van je kinderen na de dood van een familielid, een vriend of een huisdier. Kinderen rouwen niet op dezelfde manier als volwassenen, omdat voor hen het idee 'dood' moeilijk te begrijpen is.

De oma van mijn kinderen overleed op haar verjaardag. Voor de hele familie werd in de tuin een speciale ceremonie gehouden waarbij 'Happy birthay' werd gezongen en ballonnen werden opgelaten. Toen de kinderen de ballonnen weg zagen vliegen, waren ze er heilig van overtuigd te zien dat hun oma de ballonnen verzamelde. Het was voor iedereen een hele speciale gebeurtenis.

▷ G. Coldwell, skatebaan-eigenaar

speciale behandeling

Als je kinderen ziek zijn, neem dan de tijd voor extra aandacht. Als je kinderen geen zin hebben in vast voedsel, geef dan zacht fruit en serveer dat in een vrolijk glas. Geef hun een belletje zodat ze kunnen bellen als ze iets nodig hebben.

Toen mijn dochter Ayla ziek was, vertelde haar vader haar dat zijn moeder altijd zijn borst en voeten met Dampo insmeerde als hij ziek was. Ik zocht een half uur lang het huis af en vond uiteindelijk een klein, halfleeg blikje Dampo. Toen ik klaar was met het inwrijven van haar borst en voeten, zei ze: 'Ik heb het nog steeds koud, ik kan niet ademhalen en mijn hoofd doet nog steeds pijn... maar mijn voeten voelen veel beter. Dank je, mam'.

▷ Gloria Barber, ondernemer

Complimenteer hard werken

Vier het als je kinderen met hun cijferlijst thuiskomen. Als de cijfers niet perfect zijn, applaudisseer dan voor de vooruitgang die ze in andere vakken hebben gemaakt. Benadruk het belang van je best doen. Voor sommige kinderen komen hoge cijfers gewoon vanzelf maar voor anderen is het een heel geworstel om goede cijfers te behalen. Complimenteer hen niet alleen voor wat ze hebben bereikt maar ook voor hun inspanningen.

Altijd als onze kinderen hun rapporten mee naar huis brachten, gingen we naar een familierestaurant dat een maak-je-eigen-ijs-coupe-bar had. De kinderen mochten net zo veel ijs eten als ze op konden zonder van ouders te horen te krijgen dat ze nu wel genoeg gehad hadden. Als de cijfers wel wat beter mochten, kwam dat op een later tijdstip aan de orde.

▷ Moeder en laborante

Stimuleer onafhankelijk gedrag

Het stimuleren van onafhankelijk gedrag in onze kinderen kan soms een lastige opgave zijn. Het is voor ons vaak gemakkelijker de veters voor onze kinderen te strikken of hun boterhammen te smeren dan te wachten en ze het zelf te laten doen. Kinderen hebben het echter nodig te ervaren dat ze zelfstandig dingen klaar kunnen krijgen om een gezond gevoel van eigenwaarde te ontwikkelen.

Op bepaalde schooldagen als mijn 7-jarige zoon ruim voor het eten thuis is, laat ik hem een naschoolshapje klaarmaken van restjes in de koelkast. Ik moedig hem aan om ook een naam te verzinnen voor dit tussendoortje en, omdat hij het zelf heeft klaarmaakt, eet hij het meestal helemaal op.

▷ Kevin Sullivan, campinghouder

Het belang van geld verdienen

Laat je kinderen, in plaats van hun de nieuwste spulletjes te misgunnen, zelf het geld verdienen om ze aan te schaffen. Werken, budgetteren en sparen voor speelgoed leert kinderen waardevolle beslissingsvaardigheden.

Wij gaven onze kinderen loon in plaats van zakgeld. Als ze iets wilden kopen zeiden we: 'Laten we eens kijken hoe je dat geld kunt verdienen'. Wij leerden hun financieel zelfstandig te zijn, niet zeuren of bedelen. Toen Mike naar de middelbare school ging, werkte hij als loopjongen in onze printshop. Op zijn eerste werkdag overhandigde zijn vader hem een stopwatch en vroeg hem om elke taak die hij uitvoerde te klokken. Iedere keer dat hij iets ontdekte om een taak sneller uit te voeren, kreeg hij opslag.

▷ Dottie Walters, persvoorlichter en directeur van het Walters International Speakers Bureau

Verzin en koester
speciale dagen

Vier de nieuwe baby

De komst van een nieuwe baby heeft altijd een enorme impact op het hele gezinsleven. Als je al kinderen hebt, neem dan de tijd om hun bij deze nieuwe geboorte ook te vertellen hoezeer je van hun geboorte hebt genoten. Vertel over de vaardigheden en privileges die je kinderen in de loop der jaren hebben aangeleerd en gekregen en wat de nieuwe baby allemaal te wachten staat.

Toen mijn derde kind werd geboren, liet ik twee bloemenmanden bezorgen op de lagere school die mijn oudere kinderen bezochten. Ik wilde hen met de geboorte van hun nieuwe zusje feliciteren.

▷ Lori Tomenchok, lerares

Creatieve extra's

Maak gebruik van je creativiteit als je speciale dingen van je kinderen viert. Steek kaarsjes in hun stapel pannenkoeken. Verstop kaarten in hun huiswerk. Schrijf met afwasbare viltstift 'Hartelijk gefeliciteerd' op de badkamerspiegel.

Onze kinderen genieten echt van de familietraditie dat ze van school worden afgehaald op hun verjaardag. Als we bij ons huis arriveren, openen ze met de afstandsbediening vol spanning de garagedeur en ontdekken dan bijvoorbeeld dat papieren slingers en ballonnen onder aan de binnenkant van de deur hangen. Ze vinden het prachtig als de kleurrijke versierselen tevoorschijn komen als de deur omhooggaat. Vervolgens rijden we onder de versierde verjaardagsboog naar binnen.

▷ Kunstenares en moeder van drie kinderen

Verjaardagsplacemat

Ontwerp een speciale placemat ter ere van de verjaardag van je kind met plaatjes en herinneringen van het verstreken jaar die je op een kleurrijk stuk karton plakt. Gebruik foto's, kaartjes van sportevenementen of schooltoneel, tekeningen etc. Bedek de placemat met doorzichtig plakplastic of laat hem bij een printshop professioneel lamineren.

Ik heb een speciale grote envelop voor elk van mijn kinderen en gebruik die om er grappige foto's, cijferlijsten, tekeningen, schetsen, kaartjes en allerlei andere persoonlijke dingetjes in te bewaren. Als een van hun verjaardagen nadert, gebruik ik de inhoud van de envelop voor een collageplacemat. We hebben inmiddels een prachtige collectie kinderherinneringen in de vorm van verjaardagsplacemats.

▷ Moeder van drie jongens

Laat kinderen hun verjaardagsfeestje organiseren

Als ouders gaan we er vaak vanuit dat wij voor het organiseren van de verjaardagsfeestjes van onze kinderen verantwoordelijk zijn. Laat je kinderen echter als ze ouder worden, een grotere rol spelen in de beslissingen over wat er gebeurt. Geef hun een paar richtlijnen en bied je hulp aan als die nodig is, maar laat hen de belangrijke beslissingen nemen en doe in het algemeen zo veel mogelijk wat zij willen.

Onze dochter Keli hielp ons bij het uitzetten van een proviandspeurtocht bij de supermarkt voor haar verjaardag. Ze nodigde haar vriendjes uit en we gaven iedereen geld voor de speurtocht. De kinderen kochten de spullen die ze voor het eten, snacks en ontbijt nodig hadden. De zelfstandigheid die ze toegekend kregen in het zelf besluiten wat voor het feestje te kopen, vonden ze fantastisch.

▷ Sandy Thoma, relatie- en gezinstherapeut

Verzorg een officiële aankondiging voor bijzondere gebeurtenissen

Gebruik de rubrieksadvertenties in kranten of wijkbladen om belangrijke gebeurtenissen in het leven van je kind aan te kondigen. Vaak kun je hierbij voor weinig geld een foto laten afdrukken. Omcirkel de advertentie met rood en vraag je kinderen de rubrieksadvertenties door te nemen. Ze zullen verrukt zijn hun namen gedrukt te zien. De kosten ervoor zijn miniem maar de indruk die het maakt is enorm.

Zo'n tweemaal per jaar schenken we aan de behaalde resultaten van onze zoon aandacht in de vorm van het plaatsen van een advertentie onder de rubriek 'Algemene berichten'. Vorige advertenties luidden: 'Michael we zijn trots op al het werk dat je hebt verzet in de wiskundewedstrijd' en 'Bedankt voor het helpen van opa bij het bouwen van zijn gereedschapshoek'. In de krant de erkenning van zijn inspanningen te zien, maakt dat hij zich heel speciaal voelt.

▷ Vader en timmerman

Vier afgeronde projecten

Toon waardering voor de pogingen van je kind nieuwe dingen uit te proberen. Haal de ballonnen en slingers te voorschijn als je dochter auditie doet voor het schooltoneel. Vier de aankomst van de nieuwe racefiets van je zoon of de eerste roereieren van je dochter.

Ik koop ballonnen en andere feestartikelen bij een marktstalletje. Ik heb graag een flinke voorraad feestartikelen bij de hand om de resultaten van mijn zoon te vieren. Onlangs vierden we zijn eerste poging in een boom te klimmen en zijn eerste zwemdiploma. We hebben zelfs een feest georganiseerd voor onze puppy toen hij zijn trainingsdiploma behaalde.

▷ Moeder en administratief-assistente

speciaal bord

Zorg voor een apart etensbord voor je kind dat het bij speciale gelegenheden mag gebruiken. Als ze bijvoorbeeld de vermenigvuldigings- tafels onder de knie heeft of een nieuw kind op school helpt, krijgt zij het voorrecht om van dit speciale bord te mogen eten.

Ons gezin bezocht onlangs een antiekwinkel om naar een bijzonder bord te zoeken. We hebben nogal een eigenaardig gevoel voor hu- mor, dus we vertrokken met een bord waarop een rolschaatsende haan was afgebeeld. Tel- kens wanneer onze kinderen een tien halen voor een dictee, krijgen ze de maaltijd op dit haanbord geserveerd. We hebben zelfs opa er- van laten eten toen hij een nieuw gebit kreeg.

▷ Moeder van drie geestrijke kinderen

Opties voor verjaardagspartijtjes

Zorg voor verschillende opties voor je kinderen als je verjaardagsfeestjes plant. Kinderen gaan er vaak van uit dat alleen traditionele feestjes slagen. Brainstorm over de verschillende mogelijkheden zoals naar de film gaan met vriendjes, een verjaardagsontbijt of een zwembadfeestje. Een 9-jarige vroeg haar gasten ingeblikte etenswaren mee te nemen in plaats van cadeautjes – bestemd voor voedselhulp.

Ik besloot om eens wat anders te doen dan het traditionele 'Sweet-Sixteen'-verjaardagspartijtje. Mijn moeder hielp me bij het organiseren van een 'Sour-Sixteen'-verjaardagspartijtje. Het menu omvatte zoetzure kip, pickles, chips met zure room en bieslook, citroencake en citroensorbet. We hadden een wild feest.

▷ Anya Rose, toekomstig wetenschapster

Alledaagse gezinstradities

Regelmatig terugkerende activiteiten kunnen heel bijzondere gebeurtenissen worden als unieke gezinstradities worden ingesteld om de gebeurtenissen in de schijnwerpers te plaatsen. Lees inslaapverhaaltjes eenmaal per week bij het licht van een zaklantaarn of bak op zaterdagochtend wentelteefjes terwijl iedereen met schoonmaakklusjes bezig is.

Toen mijn dochter nog klein was, liet mijn man mij elke zaterdagochtend uitslapen en had hij zijn speciale tijd met Brie. Ze waren beide vroeg wakker en liepen dan naar McDonald. Brie moest haar eigen ontbijt bestellen en nam dan ook een kop zwarte koffie en een klein glaasje sinaasappelsap voor mijn man. Hij gaf haar het geld en liet haar betalen. Dit experiment gaf haar het vertrouwen om met vreemden te praten maar ook dat er naar haar als kind werd geluisterd.

▷ Gay Fakkema, projectmanager

Vier de eerste schooldag

De eerste dag van ieder schooljaar verdient te worden gevierd. De kinderen zijn meestal opgewonden en de sfeer is nogal hectisch, probeer echter desondanks tijd vrij te houden om rustig te ontbijten. Sommige ouders dekken de tafel met mooi serviesgoed om de feestelijkheid nog eens extra te benadrukken. Laat je kinderen zien dat je onderwijs belangrijk vindt door bijvoorbeeld stimulerende briefjes in hun lunchdoos.

Elke keer dat een van onze kinderen voor het eerst naar het kinderdagverblijf ging, plantten wij een speciale boom. Op de eerste dag van elk schooljaar namen we foto's van de kinderen voor hun speciale bomen. Het is leuk om terug te kijken en te zien hoe de kinderen naast deze bomen zijn gegroeid.

▷ Michael en Frank Hardy,
schoolbuschauffeurs

stimuleer sociale activiteiten

Help je kinderen om gebeurtenissen te plannen waarbij andere mensen betrokken zijn. Stimuleer hen tot het meedoen aan activiteiten met familie en vrienden. Je weet maar nooit wanneer er een feest van komt – of een nieuwe familietraditie.

Tijdens de eerste jaren van mijn kinderen, nodigden we iedere winter de buurkinderen uit voor een 'sneeuw'party. Mijn man maakte wel 25 dienbladen van karton en aluminiumfolie. De kinderen bedekten hun kartonnen dienbladen met bergen 'sneeuw' die ik klopte van waspoeder. Vervolgens versierden de kinderen hun 'winter'landschappen met takjes, kiezelsteentjes, gefiguurzaagde beestjes en spiegels die fungeerden als vijvers. Deze partijtjes voorzagen ons van vele dierbare herinneringen.

▷ Maxine Clark, lerares

Geef als verjaardagscadeau ervaringen

Geef je helemaal om de verjaardag van je kind te vieren, dat geeft onvergetelijke ervaringen in plaats van kostbare cadeaus. Ballonnen aan het voeteneind van het bed, verjaardagstaart bij het ontbijt of een klein cadeautje verstopt in een rugzak maken er een speciale dag van zonder dat het veel hoeft te kosten.

Als mijn kinderen hun verjaardag vieren, maak ik er in alle opzichten hun dag van. Ik probeer de wereld om hen te laten draaien (binnen redelijke grenzen). Ze genieten met name van uitstapjes waarbij ze hun interesses kunnen botvieren en er onderweg ergens overnacht moeten worden. Mijn zoon is bijvoorbeeld erg op kunst en uitvinders. Ik nam hem mee naar een expositie over Leonardo da Vinci en overnachten deden we in een motel.

▷ Patsy Zettle, moeder van vier kinderen

Gewoonten zijn belangrijk voor kinderen

Houd voor ogen hoe belangrijk gezins-gewoonten voor je kinderen zijn, zelfs als ze volwassen zijn.

Toen onze dochters nog klein waren, begonnen we met de gewoonte met Pasen wolsporen te leggen. Aubri en Brook namen elk het uiteinde van een woldraad, rolden die langzaam op waarbij ze de draad onder tafels en door schommels moesten volgen totdat ze uiteindelijk bij de Paasmandjes uitkwamen. Vorig jaar hadden mijn man en ik plannen om met Pasen de stad uit te gaan. De meisjes, toen 21 en 24 en inmiddels op zichzelf wonend, klaagden dat ze het dan voor het eerst een jaar zonder wolspoor zouden moeten doen. Voordat we vertrokken, slingerden we dus door het hele huis weer een woldraad en meldden hen dat ze met Pasen in ons huis hun paasmandjes moesten komen zoeken.

▷ Laurie Keleman, piloot

Tradities met een tik

Tradities zijn belangrijk omdat ze je kinderen een idee geven van rituelen en bestendigheid. Laat je om de zoveel tijd van je creatieve kant zien door dingen net een ietsje anders te doen. Grappige variaties kunnen gewoontes voor je kinderen zelfs nog betekenisvoller maken.

Ik herinner me een kerst toen mijn dochter Lauren vijf was en er net een nieuw Sheraton-hotel in het centrum was gebouwd. We brachten kerst door in het nieuwe hotel – met roomservice en hun vakantiebuffet. Lauren is nu 20 en ze praat nog steeds over deze kerst.

▷ Deborah Collins, grondmakelaar

Spontane partijtjes

Voor de meeste kinderen betekenen taartjes en ijs dat er feest is. Koop, de eerstvolgende keer dat je die bij de bakker in de aanbieding ziet, de taart en verzin iets om te vieren. Je zou de taart aan je kinderen kunnen geven met de woorden: 'We gaan een reden verzinnen om feest te vieren!'

Onze buurtwinkel heeft een plank met bakkerswaren die hun houdbaarheidsdatum hebben bereikt. Onlangs zag ik een eindeloos versierde taart voor minder dan de helft van de oorspronkelijke prijs met daarop 'Gefeliciteerd Dan'. Mijn man heet Dan, dus ik kocht de taart. Die avond maakten de kinderen en ik een lijst van al zijn positieve eigenschappen en feliciteerden hem ermee zo'n fantastische vent te zijn.

▷ Lisa McKinnell

Unieke feestdagen

Zoek bij elke feestdag naar manieren om er een speciale betekenis aan te geven. Deins niet terug om af te wijken van traditionele commerciële gewoonten. Zoiets als Sint Maarten kan een gelegenheid zijn om je te verkleden en snoep te verzamelen maar het kan ook een gelegenheid zijn om geld in te zamelen voor UNICEF.

Elke Pasen schrijft bij ons thuis iedereen een stukje over de dingen die hij of zij in de andere gezinsleden waardeert. We vragen de kinderen dit eerlijk en serieus aan te pakken. Zo schreven ze dingen als: 'Ik waardeer je gevoel voor humor' en 'Je helpt me als ik me ziek voel'. Als onze tiener zijn lijstje krijgt, is hij een paar dagen lang veel beter te hebben. Ik koester de lijstjes en zo ook mijn gezin.

▷ Patricia Hooley, opvoeder

surprise

Verras je kinderen zo nu en dan met een buitengewoon cadeau of ervaring.

Toen mijn jongens drie en acht waren, hebben we samen een ongelooflijk weekend gehad toen mijn vrouw een weekend met haar vriendinnen weg was. Ik vertelde de jongens dat ik naar het huis van een vriend ging om te kaarten en dat ze mee zouden moeten. Ze waren daar niet erg blij mee. In het geheim had ik echter drie kaartjes voor een concert van Michael Jackson gekocht – zij waren grote fans van hem. We stapten in de auto en begonnen te rijden en toen we de plaats naderden waar Michael Jackson zou optreden, begonnen ze te brullen. We hadden het geweldig. Zij vinden het beiden de mooiste herinnering uit hun kinderjaren.

▷ Dough Stadtmiller, sporthalmanager

speciale verjaardagsversierselen

Veel volwassenen denken er liever niet aan weer met een verjaardag te worden geconfronteerd, maar kinderen kijken naar hun speciale dagen vol spanning uit. Kinderen houden van het gedoe, de partijtjes, de cadeautjes en de taart. Bezorg je kinderen een gedenkwaardige start door hun slaapkamer te versieren terwijl ze nog slapen. Sommige gezinnen geven met zijn allen een rumoerige uitvoering van 'Happy Birthday' om zo de jarige wekken.

De avond voor de verjaardag van mijn dochter versier ik het huis terwijl zij slaapt. Zij wordt wakker tussen ballonnen, bloemen en slingers die haar begroeten op haar speciale dag.

▷ Moeder en huishoudkundige

Leer respect aan voor speciale gebeurtenissen

Stimuleer je kinderen tot het rekening houden met speciale gebeurtenissen, ook als ze er zelf niet direct bij betrokken zijn. Vraag je kinderen welk cadeau je voor oma voor moederdag zou kunnen kopen of laat je kinderen het cadeau voor de neef die voor zijn examen is geslaagd, inpakken. Je kunt je kinderen belangrijke sociale vaardigheden leren door hen te richten op gebeurtenissen in levens van andere mensen.

Ik sta erop dat mijn kinderen op de hoogte blijven van de behaalde examens, bruiloften en andere speciale gebeurtenissen voor verwanten. Ook als mijn kinderen niet erg close zijn met de neef die jarig is, wil ik dat zij de beleefdheidsregels in acht nemen.

▷ Samantha Billings, verpleegkundige

Leg het belang van feestdagen uit

Neem de tijd om je kinderen het verhaal achter feestdagen uit te leggen. Vertel hun verhalen over hoe je kerst vierde toen je nog een kind was. Als opa en oma hun 40-jarig huwelijk vieren, help je kinderen dan om te begrijpen hoe het huwelijk van hun grootouders andere gezinnen voortbracht. Kinderen hebben baat bij het op de hoogte zijn van de redenen van speciale gebeurtenissen.

Elke moederdag geef ik mijn jongens een cadeautje om hen te bedanken dat ze van mij een moeder hebben gemaakt.

▷ Christine Koplowitz, moeder van vier zoons

Nodig bij alledaagse gebeurtenissen speciale gasten uit

Soms wordt een alledaagse gebeurtenis bijzonder als er speciale gasten worden uitgenodigd. Geef je kinderen een kick door vrienden of grootouders uit te nodigen voor het schooltoneel of voetbal.

Mijn dochters Bronwyn en Gylany zijn gek op teaparty's. Daarom besloot ik een afwijkende teaparty te organiseren door hun twee grootmoeders uit te nodigen. De twee meiden verzorgden zich tot in de puntjes compleet met witte handschoenen. Een oma arriveerde met een 50-er-jaren-outfit compleet met luipaardlegging en kattenogenbril. De andere oma droeg een bonte jurk met een vossenbontje. Iedereen dronk thee en at vingersandwiches, poseerde voor foto's en genoot van een gedenkwaardige middag.

▷ Sandy Ferringer, ontwerpster

Stop opwinding in alledaagse routines

Kinderen houden van verrassingen. Ja, een pony is een mooie verrassing maar er zijn minder dure manieren om wat opwinding te brengen in de alledaagse gang van zaken. Volg de sober-trend en zoek eenvoudige, niet dure manieren om je kinderen te laten weten dat ze gewaardeerde gezinsleden zijn.

Als wij als gezin op vrijdagavond uit eten gaan, moeten we bijna altijd op een tafeltje wachten. Om daar wat beweging in te brengen en als gezin plezier te hebben, reserveren we de tafel op naam van een van onze kinderen. Het is fantastisch om hun gezichten te zien als hun naam wordt geroepen.

▷ Lisa Jimenez, persvoorlichter